PIERRE CORNEILLE

LE CID

TRAGI - COMÉDIE

TEXTE INTÉGRAL

Classiques Hachette

*Texte définitif de 1682
conforme à l'édition des
Grands Écrivains de la France.*

*Notes explicatives, questionnaires, bilans,
documents et parcours thématique*

établis par

*Hubert CARRIER,
Docteur ès Lettres,
Professeur à l'Université de Tours.*

Couverture : Laurent Carré

© HACHETTE LIVRE, 2006, 43, quai de Grenelle 75905 Paris Cedex 15

ISBN : 978-2-01-169175-0

www.hachette-education.com

Corneille jeune, vers l'époque du *Cid*. Portrait par Poussin, Musée de Dijon.

Pierre Corneille, né en 1606, a tout juste atteint la trentaine quand il compose Le Cid. S'il a déjà connu des succès, il n'occupe pas encore une place prépondérante dans le théâtre de son temps ; il cherche sa voie et touche à tous les genres, avec une préférence marquée pour la comédie héroïque ou romanesque en vers : sa première pièce, Mélite, représentée en 1629, puis La Veuve (1631), La Galerie du Palais (1632), La Place Royale (1634) et L'Illusion comique (1636) sont des comédies ; les trois dernières ont obtenu un franc succès, et c'est à elles qu'il doit d'être connu et apprécié d'un assez large public. Mais il a aussi fait représenter une tragi-comédie, Clitandre, en 1631, et une tragédie régulière, Médée, en 1635.

Corneille est né et a passé toute sa jeunesse à Rouen ; il y a été l'élève des Jésuites, qui accordent à la culture latine et à la formation de la volonté une place prépondérante dans leur système éducatif. Sans doute, depuis qu'il s'est consacré au théâtre, vient-il de temps en temps à Paris par le coche de Rouen, pour assister aux répétitions de ses pièces, voir celles des autres dramaturges, et se montrer à l'Hôtel de Rambouillet, qui est alors le plus en vue des cercles littéraires de la capitale ; mais il ne participe que d'assez loin à la vie parisienne, et ce n'est que beaucoup plus tard, en 1662, après la période de ses grands chefs-d'œuvre, qu'il s'installera enfin à Paris avec son frère Thomas qui connaît également le succès à la scène.

En 1637, Corneille n'est qu'un auteur de théâtre parmi d'autres, pas plus connu – et plutôt moins – que ses contemporains Mairet et Rotrou, Scudéry ou Tristan L'Hermite. C'est seulement avec Le Cid qu'il se mettra hors de pair et deviendra le poète dramatique le plus célèbre de son temps.

LE CID DANS L'ÉVOLUTION DE LA
TRAGÉDIE AU XVIIᵉ SIÈCLE

Période de formation (pré-classique et baroque)	1621	*Pyrame et Thisbé* de Théophile de Viau, tragédie lyrique
	1634	*Sophonisbe* de Mairet, première tragédie régulière
	1636	Grand succès de *Mariane* de Tristan L'Hermite
	1637-1638	**Triomphe et querelle du Cid**
Le triomphe de la tragédie **classique et romaine**	1640-1642	Les grands chefs-d'œuvre de Corneille : *Horace, Cinna, Polyeucte*
	1643	Corneille : *La Mort de Pompée*
	1644	Tristan L'Hermite : *La Mort de Sénèque*
	1651	Corneille : *Nicomède*
	1657	*La Pratique du théâtre* de l'abbé d'Aubignac achève de fixer les règles de la tragédie
Le déclin de Corneille et l'ascension de Racine	1659	Succès d'*Œdipe* de Corneille
	1664	Corneille : *Othon* (échec) ; Racine : *La Thébaïde*
	1667	Corneille : échec d'*Attila* ; triomphe d'*Andromaque* de Racine
	1669	Demi-échec de *Britannicus* de Racine
	1670	Corneille : *Tite et Bérénice* ; Racine : *Bérénice*
	1672	Racine : *Bajazet*
	1673	Racine : *Mithridate*
	1674	Échec de la dernière tragédie de Corneille, *Suréna* ; Racine : triomphe d'*Iphigénie*
L'apogée de la tragédie classique	1677	Racine : *Phèdre*
Les tragédies bibliques de Racine	1689	Racine : *Esther*, tragédie avec chœurs
	1691	Racine : *Athalie*, tragédie avec chœurs et musique

Plus de trois siècles et demi nous séparent du premier chef-d'œuvre de Corneille. Notre langue française a évolué. Les problèmes moraux qui passionnaient le public de 1637 ne sont plus exactement ceux de notre époque. La tragédie n'est plus un genre littéraire pratiqué aujourd'hui, du moins sous la forme d'une pièce en cinq actes et en vers. Voilà bien des motifs d'éloignement. Et pourtant, il suffit que Le Cid rencontre un metteur en scène de talent ou un acteur d'une qualité exceptionnelle – comme Gérard Philipe, qui incarna Rodrigue dans les années cinquante – pour que la pièce retrouve instantanément toute sa force, sa fraîcheur originelle, sa puissance d'émotion. C'est là le propre des œuvres qu'on appelle « classiques » : elles dépassent leur temps ; chaque génération de lecteurs ou de spectateurs les redécouvre et médite à son tour leur inépuisable richesse ; elles n'ont jamais fini de nous interpeller, de nous émouvoir, de nous faire réfléchir sur les aspects essentiels – et immuables – de notre condition humaine.

Si Le Cid est la première de ces pièces du XVIIe siècle qui ont défié le temps, qui continuent d'être régulièrement jouées et constituent le fond du répertoire de nos théâtres, c'est que le problème moral sur lequel elle repose et les valeurs qu'elle affirme sont toujours actuels. Ses deux héros, Rodrigue et Chimène, ont pour nous valeur d'exemples comme pour les contemporains de Corneille. Leur amour réciproque est rendu impossible par un drame : pour venger un affront fait à son père et défendre l'honneur de sa famille, Rodrigue se trouve obligé de provoquer en duel le père de Chimène et il le tue. Le devoir de Chimène est de poursuivre le meurtrier de son père. Comment l'amour peut-il, de part et d'autre, survivre à cette situation ? Le génie de Corneille a été de donner à cette dramatique confrontation de l'amour et du devoir une portée universelle, et de lui prêter, par la beauté et la fermeté de ses vers, des accents inoubliables.

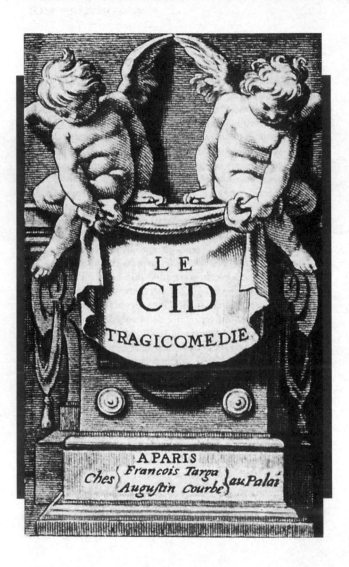

LE CID

TRAGI-COMEDIE·

Ex libris Recollectorum conventûs Parisiensis.

A PARIS,

Chez A V G V S T I N C O V R B E', Im-
primeur & Libraire de Monſeigneur
frere du Roy, dans la petite Salle du
Palais, à la Palme.

M. DC. XXXVII.
AVEC PRIVILEGE DV ROY.

Page de titre de l'édition originale du *Cid* (1637). À gauche, frontispice
d'une des rééditions du XVIIe siècle.

PERSONNAGES

DON FERNAND, *premier roi de Castille* (Ferdinand Ier le Grand, mort en 1065).

DOÑA URRAQUE, *infante de Castille, fille de Don Fernand.*

DON DIÈGUE, *père de Don Rodrigue.*

DON GOMÈS, *comte de Gormas, père de Chimène.*

DON RODRIGUE, *amant de Chimène* (Ruy Diaz de Bivar).

DON SANCHE, *amoureux de Chimène.*

DON ARIAS, DON ALONSE : *gentilshommes castillans.*

CHIMÈNE, *fille de Don Gomès.*

LÉONOR, *gouvernante de l'Infante.*

ELVIRE, *gouvernante de Chimène.*

Un page de l'Infante.

La scène est à Séville : « Tout s'y passe donc dans Séville, et garde ainsi quelque espèce d'unité de lieu en général ; mais le lieu particulier change de scène en scène, et tantôt c'est le palais du Roi, tantôt l'appartement de l'Infante, tantôt la maison de Chimène, et tantôt une rue ou place publique. » (Corneille, *Examen* de la pièce, 1660.)

Décor : Corneille nous apprend lui-même que c'était, au moment de la création de la pièce, un décor simultané : « *Le Cid* multiplie [...] les lieux particuliers sans quitter Séville ; et, comme la liaison des scènes n'y est pas gardée, le théâtre, dès le premier acte, est la maison de Chimène, l'appartement de l'Infante dans le palais du Roi et la place publique ; le second y ajoute la chambre du Roi ; et sans doute il y a quelque excès dans cette licence » (*Discours des trois unités*, 1660).

ACTE I

SCÈNE PREMIÈRE. Chimène, Elvire

CHIMÈNE
Elvire, m'as-tu fait un rapport bien sincère ?
Ne déguises-tu rien de ce qu'a dit mon père ?

ELVIRE
Tous mes sens à[1] moi-même en sont encor charmés* :
Il estime Rodrigue autant que vous l'aimez,
5 Et si je ne m'abuse à lire[2] dans son âme,
Il vous commandera de répondre à sa flamme*.

CHIMÈNE
Dis-moi donc, je te prie, une seconde fois
Ce qui te fait juger qu'il approuve mon choix :
Apprends-moi de nouveau quel espoir j'en dois prendre ;
10 Un si charmant discours ne se peut trop entendre[3] ;
Tu ne peux trop promettre aux feux de notre amour
La douce liberté de se montrer au jour.
Que t'a-t-il répondu sur la secrète brigue*
Que font auprès de toi don Sanche et don Rodrigue ?
15 N'as-tu point trop fait voir quelle inégalité
Entre ces deux amants* me penche[4] d'un côté ?

ELVIRE
Non ; j'ai peint votre cœur dans une indifférence
Qui n'enfle d'aucun d'eux ni détruit l'espérance[5],
Et sans les voir d'un œil trop sévère ou trop doux,
20 Attend l'ordre d'un père à[6] choisir un époux.
Ce respect l'a ravi, sa bouche et son visage

---

1. *à moi-même* : en moi-même.
2. *à lire* : en lisant.
3. *entendre* : je ne me lasserais jamais d'entendre des paroles aussi agréables.
4. *penche* : sens transitif : me fait pencher.
5. *l'espérance* : qui n'encourage ni ne détruit l'espérance d'aucun d'eux.
6. *à* : pour.

11

M'en ont donné sur l'heure un digne[1] témoignage,
Et puisqu'il vous en faut encor faire un récit,
Voici d'eux et de vous ce qu'en hâte il m'a dit :
25 « Elle est dans le devoir ; tous deux sont dignes d'elle,
Tous deux formés d'un sang• noble, vaillant, fidèle,
Jeunes, mais qui font lire aisément dans leurs yeux
L'éclatante vertu• de leurs braves aïeux.
Don Rodrigue surtout n'a trait[2] en son visage
30 Qui d'un homme de cœur ne soit la haute image,
Et sort d'une maison• si féconde en guerriers,
Qu'ils y prennent naissance au milieu des lauriers[3].
La valeur de son père, en son temps sans pareille,
Tant qu'a duré sa force, a passé pour merveille ;
35 Ses rides sur son front ont gravé ses exploits,
Et nous disent encor ce qu'il fut autrefois.
Je me promets du fils ce que j'ai vu du père ;
Et ma fille, en un mot, peut l'aimer et me plaire. »
Il allait au conseil, dont l'heure qui pressait
40 A tranché ce discours qu'à peine il commençait ;
Mais à ce peu de mots je crois que sa pensée
Entre vos deux amants n'est pas fort balancée•.
Le Roi doit à son fils élire• un gouverneur,
Et c'est lui[4] que regarde un tel degré d'honneur :
45 Ce choix n'est pas douteux, et sa rare vaillance
Ne peut souffrir qu'on craigne aucune concurrence.
Comme ses hauts exploits le rendent sans égal,
Dans un espoir si juste il sera sans rival ;
Et puisque don Rodrigue a résolu son père
50 Au sortir du conseil à proposer l'affaire[5],
Je vous laisse à juger s'il prendra bien son temps[6],
Et si tous vos désirs seront bientôt contents•.

---

1. *digne :* digne de foi, assuré.
2. *n'a trait :* n'a pas un seul trait.
3. *lauriers :* des victoires. On couronnait de laurier dans l'Antiquité le général vainqueur.
4. *lui :* c'est-à-dire le père de Chimène.
5. *l'affaire :* à présenter à don Gormas sa demande de la main de Chimène.
6. *s'il prendra bien son temps :* s'il choisira une occasion favorable.

CHIMÈNE

Il semble toutefois que mon âme troublée
Refuse cette joie, et s'en trouve accablée :
55 Un moment donne au sort des visages divers[1],
Et dans ce grand bonheur je crains un grand revers.

ELVIRE

Vous verrez cette crainte heureusement déçue*.

CHIMÈNE

Allons, quoi qu'il en soit, en[2] attendre l'issue.

SCÈNE 2. L'INFANTE, LÉONOR, UN PAGE

L'INFANTE

Page, allez avertir Chimène de ma part
60 Qu'aujourd'hui pour me voir elle attend un peu tard,
Et que mon amitié se plaint de sa paresse.

(Le Page rentre[3].)

LÉONOR

Madame, chaque jour même désir vous presse ;
Et dans son entretien[4] je vous vois chaque jour
Demander en quel point se trouve son amour.

L'INFANTE

65 Ce n'est pas sans sujet : je l'ai presque forcée
À recevoir les traits dont son âme est blessée[5].
Elle aime don Rodrigue, et le tient de ma main,
Et par moi don Rodrigue a vaincu son dédain :
Ainsi de ces amants ayant formé les chaînes,
70 Je dois prendre intérêt à voir finir leurs peines.

---

1. *des visages divers* : des aspects contraires (le sort peut changer en un instant).
2. *en* : du conseil dont on vient de parler et de la demande en mariage qui doit le suivre.
3. *rentre* : dans la coulisse, c'est-à-dire quitte la scène.
4. *entretien* : dans les conversations que l'Infante a avec Chimène.
5. *blessée* : les traits dont est blessée l'âme de Chimène sont ceux de l'amour (représenté dans l'Antiquité comme un enfant qui décoche des flèches).

LÉONOR

    Madame, toutefois parmi leurs bons succès•,
    Vous montrez un chagrin qui va jusqu'à l'excès.
    Cet amour, qui tous deux les comble d'allégresse,
    Fait-il de ce grand cœur[1] la profonde tristesse,
75 Et ce grand intérêt que vous prenez pour eux
    Vous rend-il malheureuse alors qu'ils sont heureux ?
    Mais je vais trop avant, et deviens indiscrète.

L'INFANTE

    Ma tristesse redouble à la tenir secrète.
    Écoute, écoute enfin comme j'ai combattu,
80 Écoute quels assauts brave encor ma vertu[2].
    L'amour est un tyran qui n'épargne personne :
    Ce jeune cavalier•, cet amant que je donne,
    Je l'aime.

LÉONOR

         Vous l'aimez !

L'INFANTE

              Mets la main sur mon cœur,
    Et vois comme il se trouble au nom de son vainqueur,
85 Comme il le reconnaît.

LÉONOR

            Pardonnez-moi, Madame,
    Si je sors du respect pour blâmer cette flamme,
    Une grande princesse à ce point s'oublier[3]
    Que d'admettre en son cœur un simple cavalier !
    Et que dirait le Roi ? que dirait la Castille ?
90 Vous souvient-il encor de qui vous êtes fille ?

L'INFANTE

    Il m'en souvient si bien que j'épandrai mon sang
    Avant que je m'abaisse à démentir[4] mon rang.
    Je te répondrais bien que dans les belles âmes

---

1. *ce grand cœur* : celui de l'Infante.
2. *ma vertu* : à quels assauts (de la passion) doit encore résister l'énergie de ma volonté.
3. *s'oublier* : oublier son rang, son devoir.
4. *démentir* : renier.

Le seul mérite a droit de produire des flammes[1];
95 Et si ma passion cherchait à s'excuser,
Mille exemples fameux pourraient l'autoriser;
Mais je n'en veux point suivre où ma gloire s'engage[2];
La surprise des sens n'abat point mon courage•;
Et je me dis toujours qu'étant fille de roi,
100 Tout autre qu'un monarque est indigne de moi.
Quand je vis que mon cœur ne se pouvait défendre,
Moi-même je donnai ce que je n'osais prendre.
Je mis, au lieu de moi, Chimène en ses liens[3],
Et j'allumai leurs feux pour éteindre les miens.
105 Ne t'étonne donc plus si mon âme gênée•
Avec impatience attend leur hyménée• :
Tu vois que mon repos en dépend aujourd'hui
Si l'amour vit d'espoir, il périt avec lui :
C'est un feu qui s'éteint, faute de nourriture;
110 Et malgré la rigueur de ma triste aventure,
Si Chimène a jamais Rodrigue pour mari,
Mon espérance est morte, et mon esprit guéri.
Je souffre cependant un tourment incroyable :
Jusques à cet hymen Rodrigue m'est aimable;
115 Je travaille à le perdre, et le perds à regret;
Et de là prend son cours mon déplaisir[4] secret.
Je vois avec chagrin que l'amour me contraigne
A pousser des soupirs pour ce que je dédaigne;
Je sens en deux partis mon esprit divisé :
120 Si mon courage est haut, mon cœur est embrasé;
Cet hymen m'est fatal[5], je le crains et souhaite[6] :
Je n'ose en espérer qu'une joie imparfaite.
Ma gloire et mon amour ont pour moi tant d'appas•,
Que je meurs s'il s'achève ou ne s'achève pas.

---

1. *produire des flammes* : faire naître l'amour.
2. *où ma gloire s'engage* : où ma réputation coure un risque.
3. *en ses liens* : dans les liens de l'amour de Rodrigue.
4. *de là prend son cours mon déplaisir* : de là provient ma peine (*déplaisir* a un sens très fort).
5. *fatal* : sens très fort : qui cause la mort, qui entraîne un mortel désespoir.
6. *je le crains et souhaite* : je le redoute et le souhaite à la fois.

LÉONOR
125 Madame, après cela je n'ai rien à vous dire,
Sinon que de vos maux avec vous je soupire :
Je vous blâmais tantôt, je vous plains à présent ;
Mais puisque dans un mal si doux et si cuisant
Votre vertu combat et son charme• et sa force,
130 En repousse l'assaut, en rejette l'amorce•,
Elle rendra le calme à vos esprits flottants.
Espérez donc tout d'elle, et du secours du temps ;
Espérez tout du ciel : il a trop de justice
Pour laisser la vertu dans un si long supplice.

L'INFANTE
135 Ma plus douce espérance est de perdre l'espoir.

LE PAGE
Par vos commandements¹ Chimène vous vient voir.

L'INFANTE, à Léonor
Allez l'entretenir en cette galerie.

LÉONOR
Voulez-vous demeurer dedans² la rêverie ?

L'INFANTE
Non, je veux seulement, malgré mon déplaisir,
140 Remettre³ mon visage un peu plus à loisir.
Je vous suis.   Juste ciel, d'où j'attends mon remède,
Mets enfin quelque borne au mal qui me possède :
Assure mon repos, assure mon honneur.
Dans le bonheur d'autrui je cherche mon bonheur :
145 Cet hyménée à trois également importe ;
Rends son effet• plus prompt, ou mon âme plus forte.
D'un lien conjugal joindre ces deux amants,
C'est briser tous mes fers•, et finir mes tourments.
Mais je tarde un peu trop : allons trouver Chimène,
150 Et par son entretien soulager notre peine.

---

1. *vos commandements* : pluriel de majesté (par votre ordre).
2. *dedans* : dans (adverbe employé comme préposition dans la langue classique).
3. *remettre* : calmer, rétablir dans son apparence ordinaire.

Questions

Compréhension

Scène 1 :

1. Que nous apprend Chimène, dans sa réplique des v. 7-16, sur l'action qui s'engage et sur ses sentiments ?

2. Quel est, à cet égard, l'utilité de la tirade d'Elvire (v. 17-52) ?

3. Comment nous apparaît le Comte d'après ses propos rapportés par Elvire (v. 25-38) ?

4. « Et dans ce grand bonheur je crains un grand revers » (v. 55) : pourquoi Chimène est-elle troublée par de sombres pressentiments ?

Scène 2 :

5. Cherchez ce que nous apprend cette scène sur le rôle passé de l'Infante et sur ses sentiments présents.

6. « Une grande princesse à ce point s'oublier » (v. 87) : analysez les rapports de Léonor et de l'Infante, et l'importance qu'y tient la notion classique de « bienséance ».

7. Dans quelle mesure peut-on dire que la situation de l'Infante est tragique ?

Écriture

Scène 1 :

8. Comment Corneille exprime-t-il, au début de la scène, la joie et l'impatience juvénile de Chimène ?

Scène 2 :

9. Il y a dans cette scène un certain maniérisme de l'expression : relevez-en les principaux traits.

SCÈNE 3. Le Comte, Don Diègue

Le Comte
    Enfin vous l'emportez, et la faveur du Roi
    Vous élève en un rang qui n'était dû qu'à moi :
    Il vous fait gouverneur du prince de Castille[1].

Don Diègue
    Cette marque d'honneur qu'il met dans ma famille
155 Montre à tous qu'il est juste, et fait connaître assez
    Qu'il sait récompenser les services passés.

Le Comte
    Pour grands que soient les rois, ils sont ce que nous sommes :
    Ils peuvent se tromper comme les autres hommes ;
    Et ce choix sert de preuve à tous les courtisans
160 Qu'ils savent mal payer les services présents.

Don Diègue
    Ne parlons plus d'un choix dont votre esprit s'irrite :
    La faveur[2] l'a pu faire autant que le mérite ;
    Mais on doit ce respect au pouvoir absolu
    De n'examiner rien quand un roi l'a voulu.
165 À l'honneur qu'il m'a fait ajoutez-en un autre ;
    Joignons d'un sacré nœud[3] ma maison à la vôtre :
    Vous n'avez qu'une fille, et moi je n'ai qu'un fils ;
    Leur hymen nous peut rendre à jamais plus qu'amis ·
    Faites-nous cette grâce, et l'acceptez[4] pour gendre.

Le Comte
170 À des partis plus hauts ce beau fils doit prétendre ;
    Et le nouvel éclat de votre dignité
    Lui doit enfler le cœur d'une autre vanité.
    Exercez-la[5], Monsieur, et gouvernez le Prince[6] :

---

1. *prince de Castille* : le fils aîné du roi don Fernand et héritier du trône d'Espagne.
2. *la faveur* : l'estime, le crédit dont jouit don Diègue auprès du roi.
3. *un sacré nœud* : les liens du mariage.
4. *l'acceptez* : impératif : acceptez-le.
5. *exercez-la* : la fonction de gouverneur à laquelle le roi vient d'appeler don Diègue.
6. *le Prince* : l'Infant héritier du trône (en étant son gouverneur).

Montrez-lui comme[1] il faut régir une province[2],
175 Faire trembler partout les peuples sous sa loi,
Remplir les bons d'amour, et les méchants d'effroi.
Joignez à ces vertus celles d'un capitaine* :
Montrez-lui comme il faut s'endurcir à la peine,
Dans le métier de Mars[3] se rendre sans égal,
180 Passer les jours entiers et les nuits à cheval,
Reposer tout armé, forcer une muraille,
Et ne devoir qu'à soi le gain d'une bataille.
Instruisez-le d'exemple[4], et rendez-le parfait,
Expliquant à ses yeux vos leçons par l'effet.

DON DIÈGUE
185 Pour s'instruire d'exemple, en dépit de l'envie[5],
Il lira seulement l'histoire de ma vie.
Là, dans un long tissu de belles actions,
Il verra comme il faut dompter des nations,
Attaquer une place, ordonner une armée,
190 Et sur de grands exploits bâtir sa renommée.

LE COMTE
Les exemples vivants sont d'un autre pouvoir ;
Un prince dans un livre apprend mal son devoir.
Et qu'a fait après tout ce grand nombre d'années,
Que ne puisse égaler une de mes journées ?
195 Si vous fûtes vaillant, je le suis aujourd'hui,
Et ce bras du royaume est le plus ferme appui.
Grenade[6] et l'Aragon[7] tremblent quand ce fer brille ;
Mon nom sert de rempart à toute la Castille :
Sans moi, vous passeriez bientôt sous d'autres lois,
200 Et vous auriez bientôt vos ennemis pour rois.
Chaque jour, chaque instant, pour rehausser ma gloire,

---

1. *comme* : comment.
2. *régir une province* : gouverner un État.
3. *Mars* : dieu de la guerre dans la mythologie latine.
4. *d'exemple* : par l'exemple.
5. *en dépit de l'envie* : quoi qu'en disent les jaloux.
6. *Grenade* : capitale du royaume more d'Andalousie, qui ne fut rattaché à l'Espagne qu'en 1492.
7. *l'Aragon* : royaume indépendant de la Castille jusqu'en 1469.

Met lauriers sur lauriers, victoire sur victoire.
Le Prince à mes côtés ferait dans les combats
L'essai de son courage à l'ombre[1] de mon bras ;
205 Il apprendrait à vaincre en me regardant faire ;
Et pour répondre en hâte à son grand caractère[2],
Il verrait...

DON DIÈGUE

        Je le sais, vous servez bien le Roi :
Je vous ai vu combattre et commander sous moi[3].
Quand l'âge dans mes nerfs a fait couler sa glace,
210 Votre rare valeur a bien rempli ma place ;
Enfin, pour épargner les discours superflus,
Vous êtes aujourd'hui ce qu'autrefois je fus.
Vous voyez toutefois qu'en cette concurrence[4]
Un monarque entre nous met quelque différence.

LE COMTE
215 Ce que je méritais, vous l'avez emporté.

DON DIÈGUE
Qui l'a gagné sur vous l'avait bien mérité.

LE COMTE
Qui peut mieux l'exercer en est bien le plus digne.

DON DIÈGUE
En être refusé[5] n'en[6] est pas un bon signe.

LE COMTE
Vous l'avez eu par brigue, étant vieux courtisan.

DON DIÈGUE
220 L'éclat de mes hauts faits fut mon seul partisan.

LE COMTE
Parlons-en mieux, le Roi fait honneur à votre âge.

---

1. *à l'ombre de* : à l'abri de.
2. *répondre à son grand caractère* : remplir pleinement sa fonction royale.
3. *sous moi* : sous mes ordres.
4. *concurrence* : compétition (pour la charge de gouverneur de l'Infant).
5. *en être refusé* : se le voir refuser.
6. *en* : du fait d'en être digne.

DON DIÈGUE
Le Roi, quand il en fait, le[1] mesure au courage.

LE COMTE
Et par là cet honneur n'était dû qu'à mon bras.

DON DIÈGUE
Qui n'a pu l'obtenir ne le méritait pas.

LE COMTE
225 Ne le méritait pas! Moi?

DON DIÈGUE
Vous.

LE COMTE
Ton impudence,
Téméraire vieillard, aura sa récompense.
(Il lui donne un soufflet.)

DON DIÈGUE, *mettant l'épée à la main*
Achève, et prends ma vie après un tel affront,
Le premier dont ma race ait vu rougir son front.

LE COMTE
Et que penses-tu faire avec tant de faiblesse?

DON DIÈGUE
230 Ô Dieu! ma force usée en ce besoin[2] me laisse!

LE COMTE
Ton épée est à moi; mais tu serais trop vain,
Si ce honteux trophée avait chargé ma main.
Adieu : fais lire au Prince, en dépit de l'envie,
Pour son instruction, l'histoire de ta vie :
235 D'un insolent discours ce juste châtiment
Ne lui servira pas d'un petit ornement.

---

1. *En* et *le* renvoient à *honneur.*
2. *besoin* : circonstance pressante, nécessité.

Questions

Compréhension

1. Dégagez les différents mouvements de cette scène.
2. Montrez la progression de la querelle. En quoi constitue-t-elle un coup de théâtre ?
3. Montrez comment Corneille y avait pourtant préparé le spectateur.
4. L'action se poursuit simultanément sur plusieurs plans : que s'est-il passé pendant les deux scènes précédentes ? Que se passe-t-il pendant celle-ci ?
5. En quoi don Diègue et le Comte se ressemblent-t-ils ? En quoi s'opposent-ils ?

Écriture

6. Relevez les sautes de ton et de rythme dans le dialogue et indiquez-en la signification.
7. Comment Corneille rend-il la montée de la colère du Comte ?
8. Recherchez les vers qui vous paraissent les mieux frappés : à quoi, selon vous, tient leur énergie ?
9. N'y a-t-il pas aussi de l'exagération et de l'enflure ? Relevez-en quelques exemples. Y a-t-il d'autres personnages du théâtre de l'époque que vous rappelle le Comte ?
10. Étudiez le rôle et les procédés de l'ironie.

Mise en scène

11. Le personnage du Comte vous est-il entièrement antipathique ? Expliquez comment vous le ressentez. Lui auriez-vous fait tenir ce langage ?

SCÈNE 4. DON DIÈGUE

Ô rage! ô désespoir! ô vieillesse ennemie!
N'ai-je donc tant vécu que pour cette infamie[1]?
Et ne suis-je blanchi[2] dans les travaux* guerriers
240 Que pour voir en un jour flétrir tant de lauriers?
Mon bras qu'avec respect toute l'Espagne admire,
Mon bras, qui tant de fois a sauvé cet empire,
Tant de fois affermi le trône de son roi,
Trahit donc ma querelle[3] et ne fait rien pour moi?
245 Ô cruel souvenir de ma gloire passée!
Œuvre de tant de jours en un jour effacée!
Nouvelle dignité, fatale[4] à mon bonheur!
Précipice élevé d'où tombe mon honneur!
Faut-il de votre éclat[5] voir triompher le Comte,
250 Et mourir sans vengeance, ou vivre dans la honte?
Comte, sois de mon prince à présent gouverneur :
Ce haut rang n'admet point un homme sans honneur;
Et ton jaloux orgueil, par cet affront insigne,
Malgré le choix du Roi, m'en a su rendre indigne.
255 Et toi, de mes exploits glorieux instrument,
Mais d'un corps tout de glace[6] inutile ornement,
Fer[7], jadis tant à craindre, et qui, dans cette offense,
M'as servi de parade[8], et non pas de défense,
Va, quitte désormais le dernier des humains,
260 Passe, pour me venger, en de meilleures mains.

---

1. *cette infamie* : pour recevoir cette flétrissure.
2. *ne suis-je blanchi* : n'ai-je vieilli.
3. *trahit ma querelle* : m'abandonne, me fait défaut, manque à ma défense.
4. *fatale* : qui cause la perte de. Cette *nouvelle dignité* est sa nomination comme gouverneur de l'Infant.
5. *votre éclat* : l'éclat de sa gloire, de toute sa vie passée.
6. *tout de glace* : refroidi par l'âge (cf le v. 209).
7. *fer* : don Diègue apostrophe son épée; *fer* est le terme noble, qui appartient au style tragique.
8. *parade* : vaine parure.

Questions

Compréhension

1. Étudiez la composition de ce monologue : différents mouvements et progression du rythme.
2. « Précipice élevé d'où tombe mon honneur » (v. 248) : que pensez-vous de l'importance donnée à l'honneur par don Diègue ?
3. Comment le conçoit-il ?

Écriture

4. Quels procédés de style contribuent à créer le pathétique ?

Illustration de la scène III, acte I : gravure de Noël Le Mire, 1762, d'après un dessin de Hubert Gravelot.

SCÈNE 5. Don Diègue, Don Rodrigue

Don Diègue
Rodrigue, as-tu du cœur•?

Don Rodrigue
                          Tout autre que mon père
L'éprouverait sur l'heure.

Don Diègue
                    Agréable colère !
Digne ressentiment[1] à ma douleur bien doux !
Je reconnais mon sang à ce noble courroux ;
265 Ma jeunesse revit en cette ardeur si prompte.
Viens, mon fils, viens, mon sang, viens réparer[2] ma honte ;
Viens me venger.

Don Rodrigue
                    De quoi ?

DON DIÈGUE
                          D'un affront si cruel,
Qu'à l'honneur de tous deux il porte un coup mortel :
D'un soufflet. L'insolent en eût perdu la vie ;
270 Mais mon âge a trompé ma généreuse• envie :
Et ce fer que mon bras ne peut plus soutenir,
Je le remets au tien pour venger et punir.
Va contre un arrogant éprouver• ton courage :
Ce n'est que dans le sang qu'on lave un tel outrage ;
275 Meurs ou tue. Au surplus, pour ne te point flatter•,
Je te donne à combattre un homme à redouter :
Je l'ai vu, tout couvert de sang et de poussière,
Porter partout l'effroi dans une armée entière.
J'ai vu par sa valeur• cent escadrons rompus[3] ;
280 Et pour t'en dire encor quelque chose de plus,
Plus que brave soldat, plus que grand capitaine,
C'est...

---

1. *digne ressentiment* : noble réaction.
2. *réparer* : venger, obtenir réparation d'une insulte.
3. *rompus* : bousculés, mis en déroute.

DON RODRIGUE
      De grâce, achevez.

DON DIÈGUE

                        Le père de Chimène.

DON RODRIGUE
    Le...

DON DIÈGUE
      Ne réplique point, je connais ton amour ;
      Mais qui peut vivre infâme est indigne du jour.
285 Plus l'offenseur est cher, et plus grande est l'offense.
      Enfin tu sais l'affront, et tu tiens[1] la vengeance :
      Je ne te dis plus rien. Venge-moi, venge-toi ;
      Montre-toi digne fils d'un père tel que moi.
      Accablé des malheurs où le destin me range[2],
290 Je vais les déplorer* : va, cours, vole, et nous venge[3].

___

1. *tu tiens* : entre tes mains : de toi dépend la vengeance.
2. *range* : auxquels m'expose le destin.
3. *venge* : impératif : venge-nous.

27

Questions

Compréhension

1. Caractérisez, d'après cette scène, les rapports père/fils entre don Diègue et Rodrigue.

2. « Je reconnais mon sang à ce noble courroux » (v. 264) : relevez et expliquez les termes évoquant le sang. Comment interpréter cette insistance de don Diègue sur le thème du sang ?

3. Don Diègue commet-il une maladresse en rappelant à Rodrigue la bravoure du Comte (v. 275-279) ? Quel est le sens de ce rappel ?

Jean Deschamp et Gérard Philipe au TNP, 1954.

SCÈNE 6. Don Rodrigue

        Percé jusques au fond du cœur
D'une atteinte imprévue aussi bien que mortelle,
Misérable• vengeur d'une juste querelle,
Et malheureux objet d'une injuste rigueur,
295 Je demeure immobile, et mon âme abattue
           Cède au coup qui me tue.
    Si près de voir mon feu• récompensé,
        Ô Dieu, l'étrange• peine !
    En cet affront mon père est l'offensé,
300   Et l'offenseur le père de Chimène !

        Que je sens de rudes combats !
Contre mon propre honneur mon amour s'intéresse• :
Il faut venger un père, et perdre une maîtresse• :
L'un m'anime le cœur[1], l'autre retient mon bras.
305 Réduit au triste choix ou de trahir ma flamme,
        Ou de vivre en infâme,
    Des deux côtés mon mal est infini.
        Ô Dieu, l'étrange peine !
    Faut-il laisser un affront impuni ?
310   Faut-il punir le père de Chimène ?

        Père, maîtresse, honneur, amour,
Noble et dure contrainte, aimable tyrannie[2],
Tous mes plaisirs sont morts, ou ma gloire ternie.
L'un me rend malheureux, l'autre indigne du jour.
315 Cher et cruel espoir d'une âme généreuse•
        Mais ensemble• amoureuse,
    Digne ennemi de mon plus grand bonheur,
        Fer qui causes ma peine,
    M'es-tu donné pour venger mon honneur ?
320   M'est-tu donné pour perdre ma Chimène ?

---

1. *le cœur* : stimule mon courage, galvanise mon énergie.
2. *aimable tyrannie* : impérieuse loi de l'amour.

Il vaut mieux courir au trépas.
Je dois[1] à ma maîtresse aussi bien qu'à mon père :
J'attire en me vengeant sa haine et sa colère ;
J'attire ses mépris en ne me vengeant pas.
325 À mon plus doux espoir l'un me rend infidèle,
Et l'autre, indigne d'elle.
Mon mal augmente à le vouloir guérir[2],
Tout redouble ma peine.
Allons, mon âme ; et puisqu'il faut mourir,
330 Mourons du moins sans offenser Chimène.

Mourir sans tirer ma raison[3] !
Rechercher un trépas si mortel à ma gloire !
Endurer que l'Espagne impute à ma mémoire
D'avoir mal soutenu l'honneur de ma maison• !
335 Respecter un amour dont mon âme égarée
Voit la perte assurée !
N'écoutons plus ce penser suborneur[4],
Qui ne sert qu'à ma peine.
Allons, mon bras, sauvons du moins l'honneur,
340 Puisqu'après tout il faut perdre Chimène.

Oui, mon esprit s'était déçu•.
Je dois tout à mon père avant qu'à ma maîtresse.
Que je meure au combat, ou meure de tristesse,
Je rendrai mon sang pur comme je l'ai reçu.
345 Je m'accuse déjà de trop de négligence :
Courons à la vengeance ;
Et tout honteux d'avoir tant balancé•,
Ne soyons plus en peine,
Puisqu'aujourd'hui mon père est l'offensé,
350 Si l'offenseur est père de Chimène.

1. *je dois* : j'ai des devoirs envers.
2. *à le vouloir guérir* : quand je veux le guérir.
3. *sans tirer ma raison* : sans obtenir une réparation d'honneur.
4. *ce penser suborneur* : cette pensée qui détourne du devoir.

Questions

Compréhension

1. Montrez la double nécessité de cette scène :
— dramatique, c'est-à-dire pour le déroulement harmonieux de l'intrigue,
— psychologique, pour une peinture vraie des sentiments de Rodrigue.

2. Quelles sont les diverses solutions envisagées par Rodrigue au dilemme amour/devoir ? À laquelle s'arrête-t-il finalement, et pour quelles raisons ?

3. Comment passe-t-il progressivement du désarroi le plus total (1ʳᵉ strophe) à la détermination la plus vigoureuse (6ᵉ strophe) ?

4. Quelle aurait été, dans la situation de Rodrigue, votre propre réaction ? Essayez de la justifier.

Écriture

5. Quels sont les vers utilisés ? la disposition des rimes ? les refrains ?

6. Relevez et analyser les variantes des refrains d'une strophe à l'autre.

Mise en scène

7. Comment concevriez-vous une mise en musique de ce texte ?

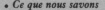
Bilan

• *Ce que nous savons*
L'irruption soudaine du tragique

L'acte I contient à la fois une exposition et le début de l'action.

— Exposition très rapide en deux scènes symétriques :
scène 1 : Elvire apprend à Chimène que son père approuve son amour pour Rodrigue...
scène 2 : Au contraire, l'amour que l'Infante porte à Rodrigue est condamné par la princesse elle-même à cause de leur différence de rang.

— Première péripétie du drame : la querelle des deux pères et le soufflet :
scène 3 : Cette harmonie initiale ne résiste pas au choix fait par le Roi de don Diègue comme gouverneur de son fils : ulcéré, le Comte lui donne un soufflet. L'action proprement dite débute dès la troisième scène de la pièce.

— Les conséquences du soufflet :
scène 4 (monologue de don Diègue) : Désespoir du vieillard devant son honneur bafoué.
scène 5 : Il confie à Rodrigue la vengeance de l'honneur familial.
scène 6 (stances de Rodrigue) : Au terme d'un douloureux débat, Rodrigue accepte cette mission.

• *À quoi nous attendre ?*

Quelle sera l'issue du duel qui se prépare ? Par ce premier choix, Rodrigue inaugure son parcours héroïque ; qu'en sera-t-il de Chimène ?

ACTE II

SCÈNE PREMIÈRE. DON ARIAS, LE COMTE

LE COMTE
Je l'avoue entre nous, mon sang un peu trop chaud
S'est trop ému d'un mot, et l'a porté trop haut[1] ;
Mais puisque c'en est fait, le coup est sans remède.

DON ARIAS
Qu'aux volontés du Roi ce grand courage* cède :
355 Il y prend grande part[2], et son cœur irrité
Agira contre vous de pleine autorité[3].
Aussi[4], vous n'avez point de valable défense :
Le rang de l'offensé, la grandeur de l'offense
Demandent des devoirs et des submissions*
360 Qui passent* le commun des satisfactions[5].

LE COMTE
Le Roi peut à son gré disposer de ma vie.

DON ARIAS
De trop d'emportement votre faute est suivie.
Le Roi vous aime encore ; apaisez son courroux.
Il a dit : « Je le veux » ; désobéirez-vous ?

LE COMTE
365 Monsieur, pour conserver tout ce que j'ai d'estime[6],
Désobéir un peu n'est pas un si grand crime ;
Et quelque grand qu'il soit[7] mes services présents
Pour le faire abolir[8] sont plus que suffisants.

---

1. *l'a porté trop haut* : a montré trop de hauteur.
2. *il y prend grande part* : le roi prend grande part à l'affront fait à don Diègue.
3. *de pleine autorité* : avec toute la rigueur de l'autorité royale.
4. *aussi* : aussi bien, du reste.
5. *le commun des satisfactions* : les réparations communément pratiquées dans les affaires d'honneur.
6. *tout ce que j'ai d'estime* : toute l'estime dont je bénéficie dans le public.
7. *qu'il soit* : si grand que soit ce crime.
8. *le faire abolir* : pour en obtenir l'abolition, c'est-à-dire le pardon, l'oubli.

DON ARIAS

Quoi qu'on fasse d'illustre et de considérable,
370 Jamais à son sujet un roi n'est redevable.
Vous vous flattez beaucoup, et vous devez savoir
Que qui sert bien son roi ne fait que son devoir.
Vous vous perdrez, Monsieur, sur cette confiance[1].

LE COMTE

Je ne vous en croirai qu'après l'expérience[2].

DON ARIAS

375 Vous devez redouter la puissance d'un roi.

LE COMTE

Un jour seul ne perd pas[3] un homme tel que moi.
Que toute sa grandeur s'arme pour mon supplice[4],
Tout l'État périra, s'il faut que je périsse.

DON ARIAS

Quoi! vous craignez si peu le pouvoir souverain...

LE COMTE

380 D'un sceptre qui sans moi tomberait de sa main?
Il a trop d'intérêt lui-même en ma personne,
Et ma tête en tombant ferait choir sa couronne.

DON ARIAS

Souffrez que la raison remette vos esprits[5].
Prenez un bon conseil[6].

LE COMTE

                               Le conseil en est pris.

DON ARIAS

385 Que lui dirai-je enfin? je lui dois rendre conte•.

LE COMTE

Que je ne puis du tout consentir à ma honte.

---

1. *cette confiance* : l'excessive confiance en lui qui donne au Comte la certitude que le roi fera une exception en sa faveur.
2. *après l'expérience* : après en avoir fait l'expérience.
3. *ne perd pas* : ne suffit pas à entraîner la perte.
4. *mon supplice* : même si toute la grandeur de l'État se mobilise pour ma perte.
5. *remette vos esprits* : calme votre cœur.
6. *un bon conseil* : une sage décision.

DON ARIAS
Mais songez que les rois veulent être absolus.

LE COMTE
Le sort en est jeté, Monsieur, n'en parlons plus.

DON ARIAS
Adieu donc, puisqu'en vain je tâche à vous résoudre[1] :
390 Avec tous vos lauriers, craignez encor le foudre[2].

LE COMTE
Je l'attendrai sans peur.

DON ARIAS
                          Mais non pas sans effet[3].

LE COMTE
Nous verrons donc par là don Diègue satisfait.
                          (Il est seul.)
Qui ne craint point la mort ne craint point les menaces.
J'ai le cœur au-dessus des plus fières° disgrâces ;
395 Et l'on peut me réduire à vivre sans bonheur,
Mais non pas me résoudre à vivre sans honneur.

---

1. *à vous résoudre* : de vous convaincre.
2. *le foudre* : le mot est masculin au figuré dans la langue classique. Le vers s'explique par la croyance des Anciens, qui pensaient que le laurier éloignait la foudre. Au sens figuré, les *lauriers* sont les victoires du Comte et la *foudre* la colère du roi.
3. *sans effet* : sans que la colère royale se manifeste effectivement.

SCÈNE 2. LE COMTE, DON RODRIGUE

DON RODRIGUE
À moi, Comte, deux mots.

LE COMTE

                Parle.

DON RODRIGUE

                            Ôte-moi d'un doute[1].
Connais-tu bien don Diègue?

LE COMTE

                      Oui.

DON RODRIGUE

                          Parlons bas; écoute.
Sais-tu que ce vieillard fut la même vertu[2],
400 La vaillance et l'honneur de son temps? le sais-tu?

LE COMTE
Peut-être.

DON RODRIGUE

          Cette ardeur que dans les yeux je porte,
Sais-tu que c'est son sang[3]? le sais-tu?

LE COMTE

                          Que m'importe?

DON RODRIGUE
À quatre pas d'ici je te le fais savoir.

LE COMTE
Jeune présomptueux!

DON RODRIGUE

              Parle sans t'émouvoir.
405 Je suis jeune, il est vrai; mais aux âmes bien nées
La valeur n'attend point le nombre des années.

LE COMTE
Te mesurer à moi! qui t'a rendu si vain•,
Toi qu'on n'a jamais vu les armes à la main?

---

1. *ôte-moi d'un doute* : enlève-moi un doute.
2. *la même vertu* : la bravoure elle-même, le courage incarné.
3. *son sang* : une qualité transmise par le sang, un trait héréditaire.

DON RODRIGUE
    Mes pareils à deux fois ne se font point connaître,
410 Et pour leurs coups d'essai veulent des coups de maître.

LE COMTE
    Sais-tu bien qui je suis?

DON RODRIGUE
                    Oui; tout autre que moi
Au seul bruit de ton nom[1] pourrait trembler d'effroi.
Les palmes[2] dont je vois ta tête si couverte
Semblent porter écrit le destin de ma perte.
415 J'attaque en téméraire un bras toujours vainqueur;
Mais j'aurai trop de force, ayant assez de cœur.
À qui venge son père il n'est rien impossible.
Ton bras est invaincu, mais non pas invincible.

LE COMTE
    Ce grand cœur qui paraît aux[3] discours que tu tiens,
420 Par tes yeux, chaque jour, se découvrait aux miens;
Et croyant voir en toi l'honneur de la Castille,
Mon âme avec plaisir te destinait ma fille.
Je sais ta passion, et suis ravi• de voir
Que tous ses mouvements[4] cèdent à ton devoir;
425 Qu'ils n'ont point affaibli cette ardeur magnanime;
Que ta haute vertu répond à mon estime;
Et que voulant pour gendre un cavalier• parfait,
Je ne me trompais point au[5] choix que j'avais fait;
Mais je sens que pour toi ma pitié s'intéresse[6];
430 J'admire ton courage, et je plains ta jeunesse.
Ne cherche point à faire un coup d'essai fatal•;
Dispense ma valeur d'un combat inégal;
Trop peu d'honneur pour moi suivrait cette victoire:
À vaincre sans péril, on triomphe sans gloire.

---

1. *au seul bruit de ton nom*: rien qu'en entendant ta renommée.
2. *les palmes*: les lauriers de la victoire.
3. *aux*: dans les.
4. *ses mouvements*: les impulsions, les élans de la passion de Rodrigue pour Chimène.
5. *au*: dans le.
6. *s'intéresse*: s'émeut.

435 On te croirait toujours abattu sans effort ;
Et j'aurais seulement le regret de ta mort.

DON RODRIGUE

D'une indigne pitié ton audace est suivie :
Qui m'ose ôter l'honneur craint de m'ôter la vie ?

LE COMTE

Retire-toi d'ici.

DON RODRIGUE

              Marchons sans discourir.

LE COMTE

440 Es-tu si las de vivre ?

DON RODRIGUE

              As-tu peur de mourir ?

LE COMTE

Viens, tu fais ton devoir, et le fils dégénère
Qui survit un moment à l'honneur de son père.

Gérard Philipe et Georges Wilson au TNP, 1954.

Compréhension

Scène 1 :

1. *Caractérisez la mission de don Arias : qu'est-il chargé d'obtenir du Comte ?*

2. *En quoi cette scène reflète-t-elle les mœurs de l'époque féodale ? En quoi, au contraire, appartient-elle au XVIIᵉ siècle ?*

3. *La scène a-t-elle une utilité sur le plan dramaturgique (utilisation par le dramaturge de l'espace et du temps) ?*

Scène 2 :

4. *Analysez la composition de la scène et les moments successifs du dialogue.*

5. *Pourquoi l'appel en duel est-il différé jusqu'au v. 403 ?*

6. *Expliquez la retenue de Rodrigue au v. 398 (« Parlons bas »).*

7. *Quel est le sens de la tirade du Comte des v. 419-436 ? Pourquoi échoue-t-il ?*

8. *Quelle image retenez-vous de lui après les deux derniers vers de la scène ?*

9. *Faites une explication suivie des v. 397-418.*

SCÈNE 3. L'INFANTE, CHIMÈNE, LÉONOR

L'INFANTE

Apaise, ma Chimène, apaise ta douleur :
Fais agir ta constance[1] en ce coup de malheur[2].
445 Tu reverras le calme après ce faible orage ;
Ton bonheur n'est couvert que d'un peu de nuage,
Et tu n'as rien perdu pour le voir différer.

CHIMÈNE

Mon cœur outré d'ennuis[3] n'ose rien espérer.
Un orage si prompt qui trouble une bonace[4]
450 D'un naufrage certain nous porte[5] la menace :
Je n'en saurais douter, je péris dans le port[6].
J'aimais, j'étais aimée, et nos pères d'accord ;
Et je vous en contais la charmante* nouvelle,
Au malheureux moment que[7] naissait leur querelle,
455 Dont le récit fatal, sitôt qu'on vous l'a fait,
D'une si douce attente a ruiné l'effet*.
Maudite ambition, détestable manie*,
Dont les plus généreux* souffrent* la tyrannie !
Honneur impitoyable à[8] mes plus chers désirs,
460 Que tu vas me coûter de pleurs et de soupirs !

L'INFANTE

Tu n'as dans leur querelle aucun sujet de craindre :
Un moment l'a fait naître, un moment va l'éteindre.
Elle a fait trop de bruit pour ne pas s'accorder[9],
Puisque déjà le Roi les veut accommoder[10] ;

---

1. *fais agir ta constance* : exerce ta fermeté d'âme.
2. *ce coup de malheur* : ce malheur subit.
3. *outré d'ennuis* : accablé de malheurs.
4. *une bonace* : le calme plat, le beau temps sur la mer.
5. *porte* : apporte.
6. *dans le port* : c'est-à-dire au moment où je touchais au but.
7. *que* : où.
8. *impitoyable à* : qui n'a pas de pitié pour, qui ne tient aucun compte de.
9. *s'accorder* : s'apaiser, se terminer par un *accord* amiable.
10. *accommoder* : réconcilier.

465 Et tu sais que mon âme, à tes ennuis sensible,
    Pour en tarir la source y[1] fera l'impossible.

CHIMÈNE

    Les accommodements ne font rien en ce point ;
    De si mortels affronts ne se réparent point.
    En vain on fait agir la force ou la prudence :
470 Si l'on guérit le mal, ce n'est qu'en apparence.
    La haine que les cœurs conservent au dedans
    Nourrit des feux[2] cachés, mais d'autant plus ardents.

L'INFANTE

    Le saint nœud[3] qui joindra don Rodrigue et Chimène
    Des pères ennemis dissipera la haine ;
475 Et nous verrons bientôt votre amour le plus fort[4]
    Par un heureux hymen étouffer ce discord[5].

CHIMÈNE

    Je le souhaite ainsi plus que je ne l'espère :
    Don Diègue est trop altier[6] et je connais mon père.
    Je sens couler des pleurs que je veux retenir ;
480 Le passé me tourmente, et je crains l'avenir.

L'INFANTE

    Que crains-tu ? d'un vieillard l'impuissante faiblesse ?

CHIMÈNE

    Rodrigue a du courage.

L'INFANTE

                          Il a trop de jeunesse.

CHIMÈNE

    Les hommes valeureux le sont du premier coup.

L'INFANTE

    Tu ne dois pas pourtant le redouter beaucoup :
485 Il est trop amoureux pour te vouloir déplaire,
    Et deux mots de ta bouche arrêtent sa colère.

---

1. *y* : en cela, en cette occasion.
2. *feux* : non ceux de la passion (sens ordinaire du mot), mais de la haine.
3. *saint nœud* : celui du mariage.
4. *le plus fort* : plus fort que la haine évoquée au v. 472.
5. *discord* : discorde, dispute.
6. *altier* : orgueilleux, hautain.

CHIMÈNE
    S'il ne m'obéit point, quel comble à mon ennui*!
    Et s'il peut m'obéir, que dira-t-on de lui?
    Étant né ce qu'il est, souffrir un tel outrage!
490 Soit qu'il cède ou résiste au feu* qui me l'engage[1],
    Mon esprit ne peut qu'être ou honteux ou confus,
    De son trop de respect, ou d'un juste refus.

L'INFANTE
    Chimène a l'âme haute, et quoiqu'intéressée[2],
    Elle ne peut souffrir une basse pensée;
495 Mais si jusques au jour de l'accommodement
    Je fais mon prisonnier[3] de ce parfait amant
    Et que j'empêche ainsi l'effet de son courage,
    Ton esprit amoureux n'aura-t-il point d'ombrage[4]?

CHIMÈNE
    Ah! Madame, en ce cas je n'ai plus de souci.

SCÈNE 4. L'INFANTE, CHIMÈNE, LÉONOR, LE PAGE
L'INFANTE
500 Page, cherchez Rodrigue, et l'amenez ici[5].

LE PAGE
    Le comte de Gormas et lui...

CHIMÈNE
                    Bon Dieu[6]! je tremble.

L'INFANTE
    Parlez.

---

1. *qui me l'engage* : qui le lie à moi.
2. *intéressée* : concernée : c'est son *intérêt*, son bonheur qui est en jeu.
3. *mon prisonnier* : prisonnier sur sa parole. C'était l'usage que le roi (ou un prince de la famille royale) envoie des gardes à des adversaires soupçonnés de vouloir régler un différend ou réparer un affront par les armes, pour les empêcher de se battre en attendant que soit négocié leur «accommodement», c'est-à-dire leur réconciliation.
4. *ombrage* : inquiétude.
5. *l'amenez ici* : impératif : amenez-le ici.
6. *Bon Dieu* : invocation (= Dieu bon!) et non juron comme aujourd'hui.

LE PAGE
De ce palais ils sont sortis ensemble.

CHIMÈNE
Seuls ?

LE PAGE
Seuls, et qui semblaient tout bas se quereller.

CHIMÈNE
Sans doute° ils sont aux mains, il n'en[1] faut plus parler.
505 Madame, pardonnez à cette promptitude[2].

SCÈNE 5. L'INFANTE, LÉONOR

L'INFANTE
Hélas ! que dans l'esprit je sens d'inquiétude[3] !
Je pleure ses[4] malheurs, son amant me ravit[5] ;
Mon repos m'abandonne, et ma flamme° revit.
Ce qui va séparer Rodrigue de Chimène
510 Fait renaître à la fois mon espoir et ma peine ;
Et leur division[6], que je vois à regret,
Dans mon esprit charmé° jette un plaisir secret.

LÉONOR
Cette haute vertu° qui règne dans votre âme
Se rend-elle sitôt à cette lâche flamme ?

L'INFANTE
515 Ne la nomme point lâche, à présent que chez moi
Pompeuse[7] et triomphante elle me fait la loi :
Porte-lui du respect, puisqu'elle m'est si chère.
Ma vertu la combat, mais malgré moi j'espère ;

---

1. *en* : de la proposition que venait de faire l'Infante d'envoyer des gardes à Rodrigue.
2. *promptitude* : Chimène s'excuse de sortir aussi précipitamment.
3. *inquiétude* : agitation.
4. *ses* : de Chimène.
5. *ravit* : m'inspire les transports de l'amour.
6. *division* : séparation.
7. *pompeuse* : glorieuse (sans nuance péjorative).

Et d'un si fol espoir mon cœur mal défendu
520 Vole après un amant que Chimène a perdu.

LÉONOR

Vous laissez choir ainsi ce glorieux courage[1],
Et la raison chez vous perd ainsi son usage?

L'INFANTE

Ah! qu'avec peu d'effet* on entend la raison,
Quand le cœur est atteint d'un si charmant* poison!
525 Et lorsque le malade aime sa maladie,
Qu'il a peine à souffrir que l'on y remédie!

LÉONOR

Votre espoir vous séduit*, votre mal vous est doux;
Mais enfin ce Rodrigue est indigne de vous.

L'INFANTE

Je ne le sais que trop; mais si ma vertu cède,
530 Apprends comme[2] l'amour flatte* un cœur qu'il possède.
Si Rodrigue une fois[3] sort vainqueur du combat,
Si dessous sa valeur ce grand guerrier s'abat[4],
Je puis en faire cas[5], je puis l'aimer sans honte.
Que ne fera-t-il point, s'il peut vaincre le Comte?
535 J'ose m'imaginer qu'à ses moindres exploits
Les royaumes entiers tomberont sous ses lois[6];
Et mon amour flatteur déjà me persuade
Que je le vois assis au[7] trône de Grenade,
Les Mores[8] subjugués trembler en l'adorant,

---

1. *courage*: tension de la volonté (ici, vers la *gloire*).
2. *comme*: combien.
3. *si... une fois*: si jamais.
4. *s'abat*: sens passif: est abattu.
5. *en faire cas*: le considérer comme un prétendant possible.
6. *sous ses lois*: que ses moindres exploits entraîneront la conquête de royaumes entiers.
7. *au*: sur le.
8 *les Mores*: les envahisseurs arabes, qui s'étaient emparés d'une grande partie de l'Espagne en 712. Les petits États chrétiens du Nord réduisirent peu à peu ces royaumes mores; mais la *reconquista* (la reconquête de l'Espagne sur les Mores, ou Maures) ne s'acheva qu'en 1492 avec la prise de Grenade. Au XIe siècle, où se situe l'action du *Cid*, les Maures occupent encore une partie importante de l'Espagne.

540 L'Aragon[1] recevoir ce nouveau conquérant,
Le Portugal[2] se rendre, et ses nobles journées
Porter delà[3] les mers ses hautes destinées,
Du sang des Africains arroser ses lauriers :
Enfin tout ce qu'on dit des plus fameux guerriers,
545 Je l'attends de Rodrigue après cette victoire,
Et fais de son amour[4] un sujet de ma gloire.

LÉONOR

Mais, Madame, voyez où vous portez son bras
Ensuite[5] d'un combat qui peut-être n'est pas.

L'INFANTE

Rodrigue est offensé ; le Comte a fait l'outrage ;
550 Ils sont sortis ensemble : en faut-il davantage ?

LÉONOR

Eh bien ! ils se battront, puisque vous le voulez ;
Mais Rodrigue ira-t-il si loin que vous allez ?

L'INFANTE

Que veux-tu ? je suis folle, et mon esprit s'égare :
Tu vois par là quels maux cet amour me prépare.
555 Viens dans mon cabinet[6] consoler mes ennuis[7],
Et ne me quitte point dans le trouble où je suis.

---

1. *l'Aragon* : royaume indépendant du nord-est de l'Espagne ; il ne fut rattaché à celui de Castille qu'en 1469.
2. *le Portugal* : occupé par les Arabes en 714, il ne fut conquis par les Espagnols qu'au XIIe siècle.
3. *delà* : au-delà de.
4. *son amour* : l'amour que j'éprouve pour lui.
5. *ensuite* : à la suite.
6. *cabinet* : petite pièce retirée.
7. *ennuis* : apaiser mes tourments.

SCÈNE 6. DON FERNAND, DON ARIAS, DON SANCHE

DON FERNAND

Le Comte est donc si vain* et si peu raisonnable !
Ose-t-il croire encor son crime[1] pardonnable ?

DON ARIAS

Je l'ai de votre part longtemps entretenu ;
560 J'ai fait mon pouvoir[2], Sire, et n'ai rien obtenu.

DON FERNAND

Justes cieux ! ainsi donc un sujet téméraire
A si peu de respect et de soin de me plaire !
Il offense don Diègue, et méprise son roi !
Au milieu de ma cour il me donne la loi !
565 Qu'il soit brave guerrier, qu'il soit grand capitaine[3],
Je saurai bien rabattre une humeur si hautaine.
Fût-il la valeur même[4], et le dieu des combats,
Il verra ce que c'est[5] que de n'obéir pas.
Quoi qu'ait pu mériter une telle insolence,
570 Je l'ai voulu d'abord traiter sans violence ;
Mais puisqu'il en[6] abuse, allez dès aujourd'hui,
Soit qu'il résiste ou non, vous assurer de lui[7].

DON SANCHE

Peut-être un peu de temps le rendrait moins rebelle :
On l'a pris tout bouillant encor de sa querelle ;
575 Sire, dans la chaleur d'un premier mouvement,
Un cœur si généreux[8] se rend malaisément.
Il voit bien qu'il a tort, mais une âme si haute
N'est pas sitôt[9] réduite à confesser sa faute.

---

1. *crime* : de désobéissance à la volonté royale (cf. scène 1).
2. *mon pouvoir* : mon possible, ce qui dépendait de moi.
3. *grand capitaine* : habile chef de guerre (le vers a un sens concessif : bien qu'il soit...).
4. *la valeur même* : la bravoure incarnée.
5. *ce que c'est* : ce qu'il en coûte.
6. *en* : du fait que le roi l'a d'abord traité sans violence.
7. *vous assurer de lui* : l'arrêter.
8. *un cœur si généreux* : une nature aussi impétueuse.
9. *sitôt* : aussi vite.

DON FERNAND
    Don Sanche, taisez-vous, et soyez averti
580 Qu'on se rend criminel à prendre[1] son parti.

DON SANCHE
    J'obéis, et me tais ; mais de grâce encor, Sire,
    Deux mots en[2] sa défense.

DON FERNAND
                                    Et que pouvez-vous dire ?

DON SANCHE
    Qu'une âme accoutumée aux grandes actions
    Ne se peut abaisser à des submissions* :
585 Elle n'en conçoit point qui s'expliquent sans honte[3],
    Et c'est à ce mot seul qu'a résisté le Comte.
    Il trouve en son devoir un peu trop de rigueur,
    Et vous obéirait, s'il avait moins de cœur.
    Commandez que son bras, nourri dans les alarmes[4],
590 Répare cette injure à la pointe des armes[5],
    Il satisfera[6], Sire ; et vienne qui voudra,
    Attendant qu'il l'ait su, voici qui répondra[7].

DON FERNAND
    Vous perdez le respect ; mais je pardonne à l'âge[8],
    Et j'excuse l'ardeur en un jeune courage.
595 Un roi dont la prudence a de meilleurs objets[9]
    Est meilleur ménager* du sang de ses sujets :
    Je veille pour les miens, mes soucis les conservent,

---

1. *à prendre* : en prenant.
2. *en* : pour.
3. *sans honte* : elle ne peut comprendre qu'il puisse y avoir des excuses qui n'entraînent pas de honte pour celui qui les fait.
4. *nourri dans les alarmes* : élevé au milieu des combats.
5. *à la pointe des armes* : à la pointe de l'épée, en combattant pour le roi.
6. *il satisfera* : il vous donnera la satisfaction qu'il vous doit.
7. *voici qui répondra* : don Sanche par ces mots se désigne lui-même : quel que soit celui qui vienne demander réparation au Comte, en attendant qu'il puisse lui-même relever le défi avec son épée, don Sanche se porte garant pour lui et relèvera le défi à sa place.
8. *à l'âge* : à la jeunesse de don Sanche.
9. *objets* : visées, intentions.

Comme le chef[1] a soin des membres qui le servent.
Ainsi votre raison[2] n'est pas raison pour moi :
600 Vous parlez en soldat ; je dois agir en roi ;
Et quoi qu'on veuille dire, et quoi qu'il ose croire,
Le Comte à m'obéir[3] ne peut perdre sa gloire.
D'ailleurs l'affront me touche[4] : il a perdu d'honneur[5]
Celui que de mon fils j'ai fait le gouverneur ;
605 S'attaquer à mon choix, c'est se prendre à moi-même,
Et faire un attentat sur le pouvoir suprême.
N'en parlons plus. Au reste[6], on a vu dix vaisseaux
De nos vieux ennemis arborer les drapeaux ;
Vers la bouche du fleuve[7] ils·ont osé paraître.

DON ARIAS
610 Les Mores ont appris par force à vous connaître,
Et tant de fois vaincus, ils ont perdu le cœur•
De se plus hasarder[8] contre un si grand vainqueur.

DON FERNAND
Ils ne verront jamais sans quelque jalousie
Mon sceptre, en dépit d'eux, régir l'Andalousie ;
615 Et ce pays si beau, qu'ils ont trop[9]possédé,
Avec un œil d'envie est toujours regardé.
C'est l'unique raison qui m'a fait dans Séville
Placer depuis dix ans le trône de Castille,
Pour les voir de plus près, et d'un ordre plus prompt
620 Renverser aussitôt ce qu'ils entreprendront.

DON ARIAS
Ils savent aux dépens de leurs plus dignes têtes[10]

---

1. *le chef* : la tête ; comparaison traditionnelle : le roi est la tête de l'État.
2. *votre raison* : ce qui est raisonnable pour vous.
3. *à m'obéir* : en m'obéissant.
4. *me touche* : me regarde, me concerne.
5. *perdu d'honneur* : déshonoré.
6. *au reste* : d'autre part (simple transition signifiant que le roi change de sujet).
7. *du fleuve* : du Guadalquivir ; son embouchure n'est qu'à 75 km environ de Séville.
8. *de se plus hasarder* : de se hasarder plus loin que l'embouchure du Guadalquivir.
9. *trop* : trop longtemps.
10. *leurs plus dignes têtes* : leurs chefs, l'élite de leurs guerriers.

Combien votre présence assure vos conquêtes :
Vous n'avez rien à craindre.

DON FERNAND

                          Et rien à négliger :
Le trop de confiance attire le danger ;
625 Et vous n'ignorez pas qu'avec fort peu de peine
Un flux de pleine mer[1] jusqu'ici les amène.
Toutefois j'aurais tort de jeter dans les cœurs,
L'avis étant mal sûr[2], de paniques terreurs.
L'effet que produirait cette alarme inutile,
630 Dans la nuit qui survient troublerait trop la ville :
Faites doubler la garde aux murs et sur le port.
C'est assez pour ce soir.

---

1. *un flux de pleine mer* : une forte marée venant de la haute mer.
2. *mal sûr* : encore incertain.

Questions

Compréhension

Scènes 3, 4, 5 :

1. *Recherchez et expliquez les contradictions entre ce que dit l'Infante à Chimène à la scène 3 et ses confidences à Léonor à la scène 5.*

2. *Montrez que Chimène, malgré sa sensibilité féminine, partage l'idéal héroïque de Rodrigue.*

Scène 6 :

3. *Quelle sanction le Roi prend-il contre le Comte, et pourquoi ?*

4. *Que savons-nous de don Sanche (cf. sc. 1) ? Pourquoi se porte-t-il garant pour le Comte ?*

5. *Quels signes de faiblesse le Roi donne-t-il dans cette scène ?*
Comment Corneille les justifie-t-il dans son Examen de la pièce *(cf. pp. 142-144) ?*

Jean Vilar au Festival d'Avignon, 1951.

SCÈNE 7. DON FERNAND, DON SANCHE, DON ALONSE

DON ALONSE
                    Sire, le Comte est mort.
  Don Diègue, par son fils, a vengé son offense.
DON FERNAND
  Dès que j'ai su l'affront, j'ai prévu la vengeance ;
635 Et j'ai voulu dès lors prévenir[1] ce malheur.
DON ALONSE
  Chimène à vos genoux apporte sa douleur ;
  Elle vient tout en pleurs vous demander justice.
DON FERNAND
  Bien qu'à ses déplaisirs* mon âme compatisse,
  Ce que le Comte a fait semble avoir mérité
640 Ce digne[2] châtiment de sa témérité.
  Quelque juste pourtant que puisse être sa peine,
  Je ne puis sans regret perdre un tel capitaine.
  Après un long service à mon État rendu,
  Après son sang pour moi mille fois répandu,
645 À quelques sentiments que son orgueil m'oblige,
  Sa perte m'affaiblit, et son trépas m'afflige.

SCÈNE 8. DON FERNAND, DON DIÈGUE, CHIMÈNE, DON
SANCHE, DON ARIAS, DON ALONSE

CHIMÈNE
  Sire, Sire, justice !
DON DIÈGUE
                    Ah ! Sire, écoutez-nous.
CHIMÈNE
  Je me jette à vos pieds.
DON DIÈGUE
                    J'embrasse vos genoux.

---

1. *prévenir* : devancer, prendre les devants, c'est-à-dire éviter, empêcher.
2. *digne* : juste, approprié.

CHIMÈNE

Je demande justice.

DON DIÈGUE

Entendez ma défense.

CHIMÈNE

650 D'un jeune audacieux punissez l'insolence :
Il a de votre sceptre abattu le soutien,
Il a tué mon père.

DON DIÈGUE

Il a vengé le sien.

CHIMÈNE

Au sang de ses sujets un roi doit la justice.

DON DIÈGUE

Pour la juste vengeance il n'est point de supplice.

DON FERNAND

655 Levez-vous l'un et l'autre, et parlez à loisir.
Chimène, je prends part à votre déplaisir• ;
D'une égale douleur[1], je sens mon âme atteinte.
Vous parlerez après[2], ne troublez pas sa plainte.

CHIMÈNE

Sire, mon père est mort ; mes yeux ont vu son sang
660 Couler à gros bouillons de son généreux flanc ;
Ce sang qui tant de fois garantit vos murailles,
Ce sang qui tant de fois vous gagna des batailles,
Ce sang qui tout sorti fume encor de courroux
De se voir répandu pour d'autres que pour vous,
665 Qu'au milieu des hasards n'osait verser la guerre,
Rodrigue en votre cour vient d'en couvrir la terre.
J'ai couru sur le lieu, sans force et sans couleur :
Je l'ai trouvé sans vie. Excusez ma douleur,
Sire, la voix me manque à ce récit funeste• ;
670 Mes pleurs et mes soupirs vous diront mieux le reste.

DON FERNAND

Prends courage, ma fille, et sache qu'aujourd'hui
Ton roi te veut servir de père au lieu de lui.

1. *d'une égale douleur* : d'une douleur égale à celle de Chimène.
2. *vous parlerez après* : ce vers s'adresse à don Diègue.

CHIMÈNE

Sire, de trop d'honneur ma misère est suivie.
Je vous l'ai déjà dit, je l'ai trouvé sans vie ;
675 Son flanc était ouvert ; et pour mieux m'émouvoir,
Son sang sur la poussière écrivait mon devoir ;
Ou plutôt sa valeur• en cet état réduite
Me parlait par sa plaie, et hâtait ma poursuite[1] ;
Et pour se faire entendre au plus juste des rois,
680 Par cette triste• bouche[2] elle empruntait ma voix.
Sire, ne souffrez pas que sous votre puissance
Règne devant vos yeux une telle licence ;
Que les plus valeureux, avec impunité,
Soient exposés aux coups de la témérité ;
685 Qu'un jeune audacieux triomphe de leur gloire,
Se baigne dans leur sang, et brave leur mémoire
Un si vaillant guerrier qu'on vient de vous ravir
Éteint, s'il n'est vengé, l'ardeur de vous servir.
Enfin mon père est mort, j'en demande vengeance,
690 Plus pour votre intérêt que pour mon allégeance[3].
Vous perdez en la mort[4] d'un homme de son rang :
Vengez-la par une autre, et le sang par le sang.
Immolez, non à moi, mais à votre couronne,
Mais à votre grandeur, mais à votre personne,
695 Immolez, dis-je, Sire, au bien de tout l'État
Tout ce qu'enorgueillit[5] un si haut attentat.

DON FERNAND

Don Diègue, répondez.

DON DIÈGUE

                              Qu'on est digne d'envie
Lorsqu'en perdant la force on perd aussi la vie,
Et qu'un long âge apprête[6] aux hommes généreux,

---

1. *poursuite* : au sens judiciaire.
2. *bouche* : la bouche que forment les lèvres de la plaie.
3. *allégeance* : soulagement (vieux mot).
4. *vous perdez en la mort* : c'est une perte pour vous que la mort.
5. *tout ce qu'enorgueillit* : périphrase méprisante désignant don Diègue et Rodrigue.
6. *apprête* : prépare.

700 Au bout de leur carrière, un destin malheureux !
Moi, dont les longs travaux ont acquis tant de gloire,
Moi, que jadis partout a suivi la victoire,
Je me vois aujourd'hui, pour avoir trop vécu,
Recevoir un affront et demeurer vaincu.
705 Ce que n'a pu jamais combat, siège, embuscade,
Ce que n'a pu jamais Aragon ni Grenade[1],
Ni tous vos ennemis, ni tous mes envieux,
Le Comte en votre cour l'a fait presque à vos yeux,
Jaloux de votre choix, et fier de l'avantage
710 Que lui donnait sur moi l'impuissance de l'âge.
Sire, ainsi ces cheveux blanchis sous le harnois[2],
Ce sang pour vous servir prodigué tant de fois,
Ce bras, jadis l'effroi d'une armée ennemie,
Descendaient au tombeau tout chargés d'infamie,
715 Si je n'eusse produit un fils digne de moi,
Digne de son pays et digne de son roi.
Il m'a prêté sa main, il a tué le Comte ;
Il m'a rendu l'honneur, il a lavé[3] ma honte.
Si montrer du courage et du ressentiment*,
720 Si venger un soufflet mérite un châtiment,
Sur moi seul doit tomber l'éclat[4] de la tempête :
Quand le bras a failli[5], l'on en punit la tête.
Qu'on nomme crime, ou non, ce qui fait nos débats,
Sire, j'en suis la tête, il n'en est que le bras.
725 Si Chimène se plaint qu'il a tué son père,
Il ne l'eût jamais fait si je l'eusse pu faire.
Immolez donc ce chef[6] que les ans vont ravir,
Et conservez pour vous le bras qui peut servir.
Aux dépens de mon sang satisfaites Chimène :
730 Je n'y résiste point, je consens à ma peine ;

1. *Aragon, Grenade :* royaumes maures contre lesquels don Diègue avait combattu.
2. *sous le harnois :* l'équipement du chevalier.
3. *lavé :* effacé ; on dit encore : *laver* un affront.
4. *l'éclat :* le fait d'éclater ; la *tempête* figure évidemment la colère du roi.
5. *a failli :* a commis une faute.
6. *ce chef :* cette tête.

Et loin de murmurer d'un rigoureux décret,
Mourant sans déshonneur, je mourrai sans regret.

DON FERNAND

L'affaire est d'importance, et, bien considérée,
Mérite en plein conseil d'être délibérée.

735 Don Sanche, remettez Chimène en sa maison.
Don Diègue aura ma cour et sa foi[1] pour prison.
Qu'on me cherche son fils. Je vous ferai justice.

CHIMÈNE

Il est juste, grand Roi, qu'un meurtrier périsse.

DON FERNAND

Prends du repos, ma fille, et calme tes douleurs.

CHIMÈNE

740 M'ordonner du repos, c'est croître[2] mes malheurs.

---

1. *sa foi* : sa parole, donnée au roi, de ne pas s'échapper et de se représenter à toute convocation.
2. *croître* : accroître.

Compréhension

1. Étudiez la composition d'ensemble de la scène, puis celle des deux tirades symétriques de Chimène et de don Diègue.

2. Que pensez-vous de la démarche de Chimène auprès du Roi ? Sur quels arguments s'appuie-t-elle ? Est-elle convaincante ?

3. Sur quelle tactique repose la défense de don Diègue ? Vous paraît-elle habile ? Qu'auriez-vous fait à sa place ?

Écriture

4. Soulignez les traits d'éloquence de don Diègue.

5. Étudiez dans le plaidoyer de Chimène, le jeu d'images et les procédés rhétoriques destinés à produire un effet pathétique.

Mise en scène

6. Comment voyez-vous la mise en scène de cette confrontation de Chimène et de don Diègue devant le Roi ?

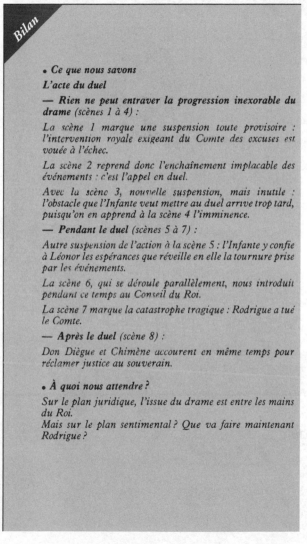

Bilan

• *Ce que nous savons*

L'acte du duel

— **Rien ne peut entraver la progression inexorable du drame** (scènes 1 à 4) :

La scène 1 marque une suspension toute provisoire : l'intervention royale exigeant du Comte des excuses est vouée à l'échec.

La scène 2 reprend donc l'enchaînement implacable des événements : c'est l'appel en duel.

Avec la scène 3, nouvelle suspension, mais inutile : l'obstacle que l'Infante veut mettre au duel arrive trop tard, puisqu'on en apprend à la scène 4 l'imminence.

— **Pendant le duel** (scènes 5 à 7) :

Autre suspension de l'action à la scène 5 : l'Infante y confie à Léonor les espérances que réveille en elle la tournure prise par les événements.

La scène 6, qui se déroule parallèlement, nous introduit pendant ce temps au Conseil du Roi.

La scène 7 marque la catastrophe tragique : Rodrigue a tué le Comte.

— **Après le duel** (scène 8) :

Don Diègue et Chimène accourent en même temps pour réclamer justice au souverain.

• *À quoi nous attendre ?*

Sur le plan juridique, l'issue du drame est entre les mains du Roi.
Mais sur le plan sentimental ? Que va faire maintenant Rodrigue ?

59

ACTE III

SCÈNE PREMIÈRE. Don Rodrigue, Elvire

ELVIRE
   Rodrigue, qu'as-tu fait? où viens-tu, misérable*?

DON RODRIGUE
   Suivre le triste cours de mon sort déplorable*.

ELVIRE
   Où prends-tu cette audace et ce nouvel orgueil,
   De paraître en des lieux que tu remplis de deuil?
745 Quoi? viens-tu jusqu'ici braver l'ombre du Comte?
   Ne l'as-tu pas tué?

DON RODRIGUE
                    Sa vie était ma honte:
   Mon honneur de ma main a voulu cet effort[1].

ELVIRE
   Mais chercher ton asile en la maison du mort!
   Jamais un meurtrier en fit-il son refuge?

DON RODRIGUE
750 Et je n'y viens aussi que m'offrir[2] à mon juge.
   Ne me regarde plus d'un visage étonné*;
   Je cherche le trépas après l'avoir donné.
   Mon juge est mon amour, mon juge est ma Chimène:
   Je mérite la mort de mériter[3] sa haine,
755 Et j'en viens recevoir, comme un bien souverain,
   Et l'arrêt de sa bouche, et le coup de sa main.

ELVIRE
   Fuis plutôt de[4] ses yeux, fuis de sa violence;
   À ses premiers transports* dérobe ta présence:

---

1. *de ma main a voulu cet effort*: a exigé cet effort de ma main.
2. *m'offrir*: pour me présenter.
3. *de mériter*: en méritant.
4. *de*: loin de.

61

Va, ne t'expose point aux premiers mouvements•
760 Que poussera[1] l'ardeur de ses ressentiments•.

DON RODRIGUE

Non, non, ce cher objet• à qui j'ai pu déplaire
Ne peut pour mon supplice avoir trop de colère
Et j'évite cent morts qui me vont accabler,
Si pour mourir plus tôt je puis la redoubler[2].

ELVIRE

765 Chimène est au palais, de pleurs toute baignée,
Et n'en reviendra point que[3] bien accompagnée.
Rodrigue, fuis, de grâce : ôte-moi de souci[4].
Que ne dira-t-on point si l'on te voit ici ?
Veux-tu qu'un médisant, pour comble à sa misère[5],
770 L'accuse d'y souffrir l'assassin de son père ?
Elle va revenir ; elle vient ; je la voi[6] :
Du moins, pour son honneur[7], Rodrigue, cache-toi.

1. *poussera* : provoquera.
2. *la redoubler* : la colère de Chimène.
3. *que* : autrement que.
4. *ôte-moi de souci* : ôte-moi ce souci.
5. *sa misère* : le malheur de Chimène.
6. *voi* : orthographe conforme à l'étymologie, courante au XVIIᵉ siècle.
7. *pour son honneur* : par égard pour sa réputation.

SCÈNE 2. Don Sanche, Chimène, Elvire

DON SANCHE

Oui, Madame, il vous faut de sanglantes victimes :
Votre colère est juste, et vos pleurs légitimes,
775 Et je n'entreprends pas, à force de parler,
Ni de vous adoucir, ni de vous consoler.
Mais si de vous servir je puis être capable,
Employez mon épée à punir le coupable ;
Employez mon amour à venger cette mort :
780 Sous vos commandements mon bras sera trop fort.

CHIMÈNE

Malheureuse !

DON SANCHE

De grâce, acceptez mon service[1].

CHIMÈNE

J'offenserais le Roi, qui m'a promis justice.

DON SANCHE

Vous savez qu'elle marche avec tant de langueur,
Qu'assez souvent le crime échappe à sa longueur[2] ;
785 Son cours lent et douteux[3] fait trop perdre de larmes.
Souffrez qu'un cavalier* vous venge par les armes :
La voie en est plus sûre, et plus prompte à punir.

CHIMÈNE

C'est le dernier remède ; et s'il y faut venir,
Et que de mes malheurs cette pitié vous dure[4],
790 Vous serez libre alors de venger mon injure[5].

DON SANCHE

C'est l'unique bonheur où mon âme prétend ;
Et pouvant l'espérer[6], je m'en vais trop content.

---

1. *mon service* : mon offre de service.
2. *à sa longueur* : les voies de la justice sont si longues que le criminel lui échappe souvent.
3. *douteux* : incertain.
4. *vous dure* : si vous continuez à avoir pitié de mes malheurs.
5. *mon injure* : l'injustice qui m'a été faite.
6. *l'espérer* : du moment que je peux l'espérer.

Questions

Compréhension

Scène 1 :

1. Montrez que les préoccupations morales d'Elvire et de Rodrigue sont totalement différentes.

2. Situez le déroulement de cette scène par rapport à la précédente et à la suivante.

Scène 2 :

3. L'offre de don Sanche respecte-t-elle la bienséance ? Est-elle habile ?

4. Analysez la réaction de Chimène. Correspond-elle à son attitude devant le Roi (Acte II, sc. 8) ?

Mise en scène

Scène 1 :

5. La présence de Rodrigue dans la « maison du mort » (v. 748) a été vivement reprochée à Corneille par les critiques du XVIIe siècle : partagez-vous leurs réticences ?

SCÈNE 3. CHIMÈNE, ELVIRE

CHIMÈNE

Enfin, je me vois libre[1], et je puis sans contrainte
De mes vives douleurs te faire voir l'atteinte[2] ;
795 Je puis donner passage à[3] mes tristes soupirs ;
Je puis t'ouvrir mon âme et tous mes déplaisirs•.
Mon père est mort, Elvire ; et la première épée
Dont s'est armé Rodrigue a sa trame coupée[4].
Pleurez, pleurez, mes yeux, et fondez-vous en eau !
800 La moitié de ma vie[5] a mis l'autre au tombeau,
Et m'oblige à venger, après ce coup funeste,
Celle que je n'ai plus sur celle qui me reste.

ELVIRE

Reposez-vous[6], Madame.

CHIMÈNE

Ah ! que mal à propos
Dans un malheur si grand tu parles de repos !
805 Par où sera jamais ma douleur apaisée[7],
Si je ne puis haïr la main qui l'a causée ?
Et que dois-je espérer qu'un[8] tourment éternel,
Si je poursuis un crime, aimant le criminel ?

ELVIRE

Il vous prive d'un père, et vous l'aimez encore !

CHIMÈNE

810 C'est peu de dire aimer, Elvire : je l'adore ;
Ma passion s'oppose à mon ressentiment• ;

---

1. *libre* : seule avec sa confidente, Chimène peut exhaler librement ses plaintes.
2. *l'atteinte* : la blessure.
3. *donner passage à* : exprimer librement.
4. *a sa trame coupée* : a coupé la trame, c'est-à-dire le fil de sa vie. Dans la mythologie antique, les Parques filaient la trame de la vie des hommes et en coupaient le fil à l'heure de leur mort.
5. *la moitié de ma vie* : le jeune homme qu'elle aime, Rodrigue ; *l'autre* : son père.
6. *reposez-vous* : apaisez-vous.
7. *apaisée* : par quel moyen ma douleur sera-t-elle jamais apaisée.
8. *qu'un* : d'autre qu'un, sinon un.

Dedans[1] mon ennemi je trouve mon amant ;
Et je sens qu'en dépit de toute ma colère,
Rodrigue dans mon cœur combat encor mon père :
815 Il l'attaque, il le presse, il cède, il se défend,
Tantôt fort, tantôt faible, et tantôt triomphant ;
Mais en ce dur combat de colère et de flamme*,
Il déchire mon cœur, sans partager mon âme[2] ;
Et quoi que mon amour ait sur moi de pouvoir[3],
820 Je ne consulte point[4] pour suivre mon devoir :
Je cours sans balancer* où mon honneur m'oblige.
Rodrigue m'est bien cher, son intérêt m'afflige[5],
Mon cœur prend son parti ; mais malgré son effort[6],
Je sais ce que je suis, et que mon père est mort.

ELVIRE
825 Pensez-vous le poursuivre[7] ?

CHIMÈNE
                  Ah ! cruelle pensée !
Et cruelle poursuite où je me vois forcée !
Je demande sa tête, et crains de l'obtenir :
Ma mort suivra la sienne, et je le veux punir !

ELVIRE
Quittez, quittez, Madame, un dessein si tragique ;
830 Ne vous imposez point de loi si tyrannique.

CHIMÈNE
Quoi ! mon père étant mort, et presque entre mes bras,
Son sang criera vengeance, et je ne l'orrai[8] pas !
Mon cœur, honteusement surpris par d'autres charmes*,
Croira ne lui devoir que d'impuissantes larmes !

---

1. *dedans* : dans.
2. *sans partager mon âme* : sans que mon âme hésite entre deux conduites.
L'*âme*, siège de la raison, est ici opposée au *cœur*, siège de l'affectivité, des
sentiments.
3. *pouvoir* : quel que soit le pouvoir que mon amour ait sur moi.
4. *je ne consulte point* : je n'ai pas à délibérer.
5. *son intérêt m'afflige* : l'intérêt (= l'amour) que je lui porte m'afflige.
6. *son effort* : les impulsions de mon cœur.
7. *poursuivre* : au sens judiciaire d'exercer des poursuites contre quelqu'un.
8. *orrai* : entendrai (futur du verbe *ouïr*).

835 Et je pourrai souffrir qu'un amour suborneur[1]
Sous un lâche silence étouffe mon honneur !

ELVIRE

Madame, croyez-moi, vous serez excusable
D'avoir moins de chaleur[2] contre un objet• aimable,
Contre un amant si cher : vous avez assez fait,
840 Vous avez vu le Roi ; n'en pressez point l'effet•,
Ne vous obstinez point en cette humeur étrange•.

CHIMÈNE

Il y va de ma gloire, il faut que je me venge ;
Et de quoi que nous flatte un désir amoureux[3],
Toute excuse est honteuse aux esprits généreux[4].

ELVIRE

845 Mais vous aimez Rodrigue, il ne vous peut déplaire.

CHIMÈNE

Je l'avoue.

ELVIRE

Après tout[5], que pensez-vous donc faire ?

CHIMÈNE

Pour conserver ma gloire et finir mon ennui•,
Le poursuivre, le perdre[6], et mourir après lui.

---

1. *suborneur* : qui détourne du droit chemin, du devoir.
2. *chaleur* : colère, emportement.
3. *un désir amoureux* : quelle que soit la puissance de séduction de l'amour.
4. *aux esprits généreux* : aux âmes nobles.
5. *après tout* : en conclusion, en définitive.
6. *le perdre* : obtenir sa mort.

Questions

Compréhension

1. Comparez l'attitude de Chimène ici à celle de Rodrigue dans ses stances (Acte I, sc. 6) : a-t-elle à résoudre le même problème moral ? Quelle solution envisage-t-elle ?

2. Elvire obéit-elle aux mêmes valeurs ?

Écriture

3. Dans ce style imagé et parfois précieux, relevez les métaphores et les expressions qui vous semblent avoir vieilli et les vers qui vous paraissent au contraire les plus beaux et les mieux frappés.

Francine Bergé au Théâtre de l'Athénée, 1963.

SCÈNE 4. Don Rodrigue, Chimène, Elvire

DON RODRIGUE

Eh bien! sans vous donner la peine de poursuivre[1],
850 Assurez-vous l'honneur de m'empêcher de vivre.

CHIMÈNE

Elvire, où sommes-nous, et qu'est-ce que je voi[2]?
Rodrigue en ma maison! Rodrigue devant moi!

DON RODRIGUE

N'épargnez-point mon sang : goûtez sans résistance
La douceur de ma perte et de votre vengeance.

CHIMÈNE

855 Hélas!

DON RODRIGUE

　　　　Écoute-moi.

CHIMÈNE

　　　　　　　Je me meurs.

DON RODRIGUE

　　　　　　　　　　Un moment.

CHIMÈNE

Va, laisse-moi mourir.

DON RODRIGUE

　　　　　　　Quatre mots seulement :
Après ne me réponds qu'avecque[3] cette épée.

CHIMÈNE

Quoi! du sang de mon père encor toute trempée!

DON RODRIGUE

Ma Chimène...

CHIMÈNE

　　　　　　Ôte-moi cet objet odieux,
860 Qui reproche ton crime et ta vie à mes yeux.

---

1. *de poursuivre* : d'entamer des poursuites (renvoie au v. 848 que vient de prononcer Chimène).
2. *voi* : orthographe étymologique, encore courante au XVIIᵉ siècle.
3. *avecque* : forme vieillie, encore tolérée au XVIIᵉ siècle en poésie pour faire trois syllabes.

DON RODRIGUE
    Regarde-le plutôt pour exciter ta haine,
    Pour croître[1] ta colère, et pour hâter ma peine[2].

CHIMÈNE
    Il est teint de mon sang.

DON RODRIGUE
                    Plonge-le dans le mien,
    Et fais-lui perdre ainsi la teinture du tien.

CHIMÈNE
865 Ah! quelle cruauté, qui tout en un jour[3] tue
    Le père par le fer, la fille par la vue!
    Ôte-moi cet objet, je ne le puis souffrir :
    Tu veux que je t'écoute, et tu me fais mourir!

DON RODRIGUE
    Je fais ce que tu veux, mais sans quitter l'envie
870 De finir par tes mains ma déplorable* vie;
    Car enfin n'attends pas de mon affection
    Un lâche repentir d'une bonne action.
    L'irréparable effet d'une chaleur trop prompte[4]
    Déshonorait mon père, et me couvrait de honte.
875 Tu sais comme un soufflet touche un homme de cœur;
    J'avais part à l'affront, j'en ai cherché l'auteur :
    Je l'ai vu, j'ai vengé mon honneur et mon père;
    Je le ferais encor, si j'avais à le faire.
    Ce n'est pas qu'en effet contre mon père et moi
880 Ma flamme assez longtemps n'ait combattu pour toi;
    Juge de son pouvoir : dans une telle offense,
    J'ai pu délibérer[5] si j'en prendrais vengeance.
    Réduit à te déplaire, ou souffrir un affront,
    J'ai pensé qu'à son tour mon bras était trop prompt;
885 Je me suis accusé de trop de violence;

---

1. *croître* : accroître.
2. *peine* : au sens judiciaire de châtiment.
3. *tout en un jour* : en un même jour.
4. *trop prompte* : la conséquence irréparable d'une réaction trop vive (l'emportement du Comte).
5. *j'ai pu délibérer* : j'ai pu me demander.

Et ta beauté sans doute emportait la balance[1],
À moins que d'opposer à tes plus forts appas[2]
Qu'un homme sans honneur ne te méritait pas ;
Que malgré cette part que j'avais en ton âme[3],
890 Qui m'aima généreux• me haïrait infâme ;
Qu'écouter ton amour, obéir à sa voix,
C'était m'en rendre indigne et diffamer[4] ton choix.
Je te le dis encore ; et quoique j'en soupire,
Jusqu'au dernier soupir je veux bien le redire :
895 Je t'ai fait une offense, et j'ai dû m'y porter[5]
Pour effacer ma honte, et pour te mériter ;
Mais quitte envers l'honneur, et quitte envers mon père,
C'est maintenant à toi que je viens satisfaire[6].
C'est pour t'offrir mon sang qu'en ce lieu tu me vois.
900 J'ai fait ce que j'ai dû, je fais ce que je dois.
Je sais qu'un père mort t'arme contre mon crime ;
Je ne t'ai pas voulu dérober ta victime :
Immole avec courage au sang qu'il[7] a perdu
Celui qui met sa gloire à l'avoir répandu.

CHIMÈNE

905 Ah ! Rodrigue, il est vrai, quoique ton ennemie,
Je ne puis te blâmer d'avoir fui l'infamie ;
Et de quelque façon qu'éclatent mes douleurs,
Je ne t'accuse point, je pleure mes malheurs.
Je sais ce que l'honneur, après un tel outrage,
910 Demandait à l'ardeur d'un généreux courage :
Tu n'as fait le devoir que d'un homme de bien ;
Mais aussi, le faisant, tu m'as appris le mien.
Ta funeste valeur m'instruit par ta victoire ;

---

1. *emportait la balance* : l'emportait, prenait le dessus.
2. *appas* : si je n'avais pas opposé à tes charmes, qui auraient été les plus forts, l'idée...
3. *en ton âme* : dans ton cœur.
4. *diffamer* : déshonorer.
5. *m'y porter* : m'y décider.
6. *satisfaire* : au sens juridique de donner une satisfaction, une réparation à quelqu'un.
7. *il* : son père.

Elle a vengé ton père et soutenu ta gloire :
915 Même soin me regarde[1], et j'ai, pour m'affliger,
Ma gloire à soutenir et mon père à venger.
Hélas ! ton intérêt[2] ici me désespère :
Si quelque autre malheur m'avait ravi mon père,
Mon âme aurait trouvé dans le bien[3] de te voir
920 L'unique allégement qu'elle eût pu recevoir ;
Et contre ma douleur j'aurais senti des charmes[4],
Quand une main si chère eût essuyé mes larmes.
Mais il me faut te perdre après l'avoir perdu ;
Cet effort sur ma flamme à mon honneur est dû ;
925 Et cet affreux devoir, dont l'ordre m'assassine,
Me force à travailler moi-même à ta ruine.
Car enfin n'attends pas de mon affection
De lâches sentiments pour ta punition.
De quoi qu'en ta faveur notre amour m'entretienne[5],
930 Ma générosité doit répondre à la tienne :
Tu t'es, en m'offensant, montré digne de moi ;
Je me dois, par ta mort[6], montrer digne de toi.

DON RODRIGUE
Ne diffère donc plus ce que l'honneur t'ordonne :
Il demande ma tête, et je te l'abandonne ;
935 Fais-en un sacrifice à ce noble intérêt[7].
Le coup m'en sera doux, aussi bien que l'arrêt.
Attendre après mon crime une lente justice,
C'est reculer ta gloire autant que mon supplice.
Je mourrai trop heureux, mourant d'un coup si beau.

CHIMÈNE
940 Va, je suis ta partie[8], et non pas ton bourreau.

----

1. *même soin me regarde* : un même devoir m'incombe.
2. *ton intérêt* : l'amour que je te porte.
3. *le bien* : le bonheur.
4. *des charmes* : des remèdes magiques.
5. *m'entretienne* : quels que soient les mots que me suggère notre amour en ta faveur.
6. *par ta mort* : en réclamant ta mort.
7. *ce noble intérêt* : l'honneur.
8. *ta partie* : ton adversaire en justice.

Si tu m'offres ta tête, est-ce à moi de la prendre ?
Je la dois attaquer, mais tu dois la défendre ;
C'est d'un autre que toi qu'il me faut l'obtenir,
Et je dois te poursuivre[1], et non pas te punir.

DON RODRIGUE

945 De quoi qu'en ma faveur notre amour t'entretienne,
Ta générosité doit répondre à la mienne ;
Et pour venger un père emprunter d'autres bras,
Ma Chimène, crois-moi, c'est n'y répondre pas.
Ma main seule du mien a su venger l'offense,
950 Ta main seule du tien doit prendre la vengeance.

CHIMÈNE

Cruel ! à quel propos sur ce point t'obstiner ?
Tu t'es vengé sans aide, et tu m'en veux donner !
Je suivrai ton exemple, et j'ai trop de courage
Pour souffrir qu'avec toi ma gloire se partage.
955 Mon père et mon honneur ne veulent rien devoir
Aux traits de ton amour ni de ton désespoir.

DON RODRIGUE

Rigoureux point d'honneur ! hélas ! quoi que je fasse,
Ne pourrai-je à la fin obtenir cette grâce ?
Au nom d'un père mort, ou de notre amitié•,
960 Punis-moi par vengeance, ou du moins par pitié.
Ton malheureux amant aura bien moins de peine
À mourir par ta main qu'à vivre avec ta haine.

CHIMÈNE

Va, je ne te hais point.

DON RODRIGUE

                              Tu le dois.

CHIMÈNE

                                              Je ne puis.

DON RODRIGUE

Crains-tu si peu le blâme, et si peu les faux bruits[2] ?
965 Quand on saura mon crime, et que ta flamme dure,

---

1. *te poursuivre* : en justice.
2. *faux bruits* : calomnies.

Que ne publieront point l'envie et l'imposture[1] !
Force-les au silence, et, sans plus discourir,
Sauve ta renommée en me faisant mourir.

CHIMÈNE

Elle éclate bien mieux en te laissant la vie ;
970 Et je veux que la voix de la plus noire envie
Élève au ciel[2] ma gloire et plaigne mes ennuis•,
Sachant que je t'adore et que je te poursuis.
Va-t'en, ne montre plus à ma douleur extrême
Ce qu'il faut que je perde, encore que je l'aime.
975 Dans l'ombre de la nuit cache bien ton départ :
Si l'on te voit sortir, mon honneur court hasard[3].
La seule occasion qu'aura la médisance[4],
C'est de savoir qu'ici j'ai souffert[5] ta présence :
Ne lui donne point lieu[6] d'attaquer ma vertu.

DON RODRIGUE
980 Que je meure !

CHIMÈNE

Va-t'en.

DON RODRIGUE

À quoi te résous-tu ?

CHIMÈNE

Malgré des feux si beaux, qui troublent ma colère,
Je ferai mon possible à bien venger mon père ;
Mais malgré la rigueur d'un si cruel devoir,
Mon unique souhait est de ne rien pouvoir.

DON RODRIGUE
985 Ô miracle d'amour[7] !

CHIMÈNE

Ô comble de misères !

---

1. *l'envie et l'imposture* : que n'iront pas raconter les envieux et les imposteurs !
2. *au ciel* : jusqu'au ciel, porte aux nues.
3. *court hasard* : court un danger, se trouve exposé.
4. *qu'aura la médisance* : qu'on aura de médire de moi.
5. *souffert* : admis, toléré.
6. *ne lui donne point lieu* : ne lui donne pas l'occasion.
7. *Ô miracle d'amour* : Ô miracle produit par l'amour !

DON RODRIGUE
Que de maux et de pleurs nous coûteront nos pères !

CHIMÈNE
Rodrigue, qui l'eût cru ?

DON RODRIGUE
                              Chimène, qui l'eût dit ?

CHIMÈNE
Que notre heur* fût si proche et sitôt se perdît ?

DON RODRIGUE
Et que si près du port, contre toute apparence,
990 Un orage si prompt¹ brisât notre espérance ?

CHIMÈNE
Ah ! mortelles douleurs !

DON RODRIGUE
                              Ah ! regrets superflus !

CHIMÈNE
Va-t'en, encore un coup² je ne t'écoute plus.

DON RODRIGUE
Adieu : je vais traîner une mourante vie,
Tant que³ par ta poursuite elle me soit ravie.

CHIMÈNE
995 Si j'en obtiens l'effet⁴, je t'engage ma foi
De ne respirer pas un moment après toi.
Adieu : sors, et surtout garde bien qu'on te voie⁵.

ELVIRE
Madame, quelques maux que le ciel nous envoie...

CHIMÈNE
Ne m'importune plus, laisse-moi soupirer,
1000 Je cherche le silence et la nuit pour pleurer.

---

1. *si prompt* : si soudain.
2. *encore un coup* : encore une fois (sans nuance de familiarité).
3. *tant que* : jusqu'à ce que.
4. *l'effet* : la réalisation effective, c'est-à-dire, la condamnation à mort de Rodrigue.
5. *garde-bien qu'on te voie* : fais bien attention qu'on ne te voie pas.

Questions

Compréhension

1. Justifiez la place de cette scène capitale :
— à l'intérieur de l'acte III.
— dans l'ensemble de la pièce.

2. Quels en sont les mouvements essentiels ? Quelle est la structure interne de la tirade de Rodrigue (v. 869-904) et de celle de Chimène (v. 905-932) ?

3. En quoi cette rencontre nocturne de Rodrigue et de Chimène choque-t-elle la bienséance ? Comment Corneille l'a-t-il justifiée (cf Examen de la pièce pp. 141-142) ?

4 Faites une explication suivie de la tirade de Chimène (v. 905-932).

5. Quelle est, selon vous, la signification de la scène : une rencontre en profondeur entre les deux amants ? Un harcèlement cruel de Chimène par Rodrigue ? Une vaine tentative de Rodrigue pour entraîner Chimène dans la voie héroïque ?

Écriture

6. Quelques critiques évoquent, à propos de cette scène, une certaine faiblesse de Chimène. Partagez-vous ce sentiment.?

Mise en scène

7. Imaginez une mise en scène pour cette rencontre : quel jeu conseilleriez-vous aux acteurs ? Quelles attitudes ? Quels mouvements ? Quel décor et éventuellement, quelle musique ?

SCÈNE 5. DON DIÈGUE

Jamais nous ne goûtons de parfaite allégresse :
Nos plus heureux succès sont mêlés de tristesse ;
Toujours quelques soucis en ces événements
Troublent la pureté de nos contentements.
1005 Au milieu du bonheur mon âme en sent l'atteinte[1] :
Je nage dans la joie, et[2] je tremble de crainte.
J'ai vu mort l'ennemi qui m'avait outragé,
Et je ne saurais voir la main qui m'a vengé.
En vain je m'y travaille[3], et d'un soin inutile,
1010 Tout cassé que je suis, je cours toute la ville :
Ce peu que mes vieux ans m'ont laissé de vigueur
Se consume sans fruit• à chercher ce vainqueur.
À toute heure, en tous lieux, dans une nuit si sombre,
Je pense l'embrasser, et n'embrasse qu'une ombre ;
1015 Et mon amour, déçu• par cet objet trompeur,
Se forme des soupçons[4] qui redoublent ma peur.
Je ne découvre point de marques[5] de sa fuite ;
Je crains du Comte mort les amis et la suite ;
Leur nombre m'épouvante, et confond[6] ma raison.
1020 Rodrigue ne vit plus, ou respire en prison.
Justes cieux ! me trompé-je encore à l'apparence[7],
Ou si[8] je vois enfin mon unique espérance ?
C'est lui, n'en doutons plus ; mes vœux sont exaucés,
Ma crainte est dissipée et mes ennuis cessés.

---

1. *l'atteinte* : la blessure (des soucis).
2. *et* : et pourtant.
3. *je m'y travaille* : j'y fais tous mes efforts.
4. *se forme des soupçons* : se forge des suppositions.
5. *marques* : traces.
6. *confond* : trouble.
7. *à l'apparence* : suis-je encore victime d'une illusion.
8. *ou si je vois* : ou vois-je.

SCÈNE 6. Don Diègue, Don Rodrigue

Don Diègue

1025 Rodrigue, enfin le ciel permet que je te voie !

Don Rodrigue

Hélas !

Don Diègue

Ne mêle point de soupirs à ma joie ;
Laisse-moi prendre haleine[1] afin de te louer.
Ma valeur n'a point lieu de te désavouer :
Tu l'as bien imitée, et ton illustre audace[2]
1030 Fait bien revivre en toi les héros de ma race :
C'est d'eux que tu descends, c'est de moi que tu viens :
Ton premier coup d'épée égale tous les miens ;
Et d'une belle ardeur ta jeunesse animée
Par cette grande épreuve atteint[3] ma renommée.
1035 Appui de ma vieillesse, et comble de mon heur[4],
Touche ces cheveux blancs à qui tu rends l'honneur,
Viens baiser cette joue, et reconnais la place
Où fut empreint l'affront que ton courage efface.

Don Rodrigue

L'honneur vous en[5] est dû : je ne pouvais pas moins,
1040 Étant sorti[6] de vous et nourri• par vos soins.
Je m'en tiens[7] trop heureux, et mon âme est ravie
Que mon coup d'essai plaise à qui[8] je dois la vie ;
Mais parmi vos plaisirs ne soyez point jaloux
Si je m'ose à mon tour satisfaire après vous[9].

---

1. *prendre haleine* : reprendre souffle.
2. *ton illustre audace* : ton audace qui t'a permis de t'illustrer.
3. *atteint* : rejoint, égale.
4. *comble de mon heur* : toi qui portes mon bonheur à son comble.
5. *en* : de ce coup d'éclat.
6. *sorti* : né, issu.
7. *je m'en tiens* : je m'en estime.
8. *à qui* : à celui à qui.
9. *satisfaire après vous* : si j'ose me donner à mon tour satisfaction après l'avoir fait pour vous (c'est-à-dire si je m'abandonne à mon désespoir après avoir fait mon devoir).

1045 Souffrez qu'en liberté[1] mon désespoir éclate ;
   Assez et trop longtemps votre discours le flatte[2].
   Je ne me repens point de vous avoir servi ;
   Mais rendez-moi le bien[3] que ce coup m'a ravi.
   Mon bras, pour vous venger, armé contre ma flamme,
1050 Par ce coup glorieux m'a privé de mon âme[4] ;
   Ne me dites plus rien ; pour vous j'ai tout perdu :
   Ce que je vous devais, je vous l'ai bien rendu.

DON DIÈGUE
   Porte, porte plus haut le fruit de ta victoire[5] :
   Je t'ai donné la vie, et tu me rends ma gloire ;
1055 Et d'autant que l'honneur m'est plus cher que le jour,
   D'autant plus maintenant je te dois de retour.
   Mais d'un cœur magnanime éloigne ces faiblesses ;
   Nous n'avons qu'un honneur, il est tant de maîtresses[6] !
   L'amour n'est qu'un plaisir, l'honneur est un devoir.

DON RODRIGUE
1060 Ah ! que me dites-vous ?

DON DIÈGUE
                      Ce que tu dois savoir.

DON RODRIGUE
   Mon honneur offensé sur moi-même se venge[7],
   Et vous m'osez pousser à la honte du change[•] !
   L'infamie est pareille, et suit également
   Le guerrier sans courage et le perfide amant[8].
1065 À ma fidélité ne faites point d'injure ;
   Souffrez-moi généreux sans me rendre parjure :
   Mes liens[9] sont trop forts pour être ainsi rompus ;

---

1. *en liberté* : sans se réfréner, sans contrainte.
2. *le flatte* : essaie de l'adoucir.
3. *le bien* : le bonheur.
4. *mon âme* : de mon amour, de celle que j'aime (vocabulaire galant).
5. *porte plus haut le fruit de ta victoire* : estime davantage le résultat de ta victoire.
6. *de maîtresses* : de femmes que l'on puisse aimer.
7. *sur moi-même se venge* : Rodrigue veut dire qu'il est lui-même la victime de sa vengeance, puisqu'elle lui fait perdre son amour.
8. *le perfide amant* : l'amoureux qui manque à la foi jurée.
9. *mes liens* : mon engagement envers Chimène.

81

Ma foi m'engage encor si[1] je n'espère plus ;
Et ne pouvant quitter ni posséder Chimène,
1070 Le trépas que je cherche est ma plus douce peine[2].

DON DIÈGUE
Il n'est pas temps encor de chercher le trépas ;
Ton prince et ton pays ont besoin de ton bras.
La flotte qu'on craignait, dans ce grand fleuve[3] entrée,
Croit surprendre la ville et piller la contrée.
1075 Les Mores vont descendre, et le flux[4] et la nuit
Dans une heure à nos murs les amène[5] sans bruit.
La cour est en désordre, et le peuple en alarmes :
On n'entend que des cris, on ne voit que des larmes.
Dans ce malheur public mon bonheur a permis[6]
1080 Que j'ai trouvé chez moi cinq cents de mes amis,
Qui sachant mon affront, poussés d'un même zèle,
Se venaient tous offrir à venger ma querelle.
Tu les a prévenus[7], mais leurs vaillantes mains
Se tremperont bien mieux au sang[8] des Africains.
1085 Va marcher à leur tête où[9] l'honneur te demande :
C'est toi que veut pour chef leur généreuse bande•.
De ces vieux ennemis va soutenir l'abord• :
Là, si tu veux mourir, trouve une belle mort ;
Prends-en l'occasion[10], puisqu'elle t'est offerte ;
1090 Fais devoir à ton roi son salut à ta perte[11] ;
Mais reviens-en[12] plutôt les palmes sur le front.

1. *si* : même si.
2. *ma plus douce peine* : le moindre mal pour moi.
3. *ce grand fleuve* : le Guadalquivir.
4. *le flux* : la marée.
5. *amène* : va les amener (futur immédiat) ; le verbe reste au singulier par accord avec le dernier des sujets (latinisme).
6. *mon bonheur a permis* : j'ai eu la chance.
7. *prévenus* : devancés (en tuant le Comte).
8. *au sang* : dans le sang.
9. *où* : là où.
10. *prends-en l'occasion* : saisis l'occasion (de trouver une belle mort).
11. *fais devoir à ton roi son salut à ta perte* : fais que ton roi doive son salut à ta mort.
12. *reviens-en* : de la bataille.

Ne borne pas ta gloire à venger un affront;
Porte-la plus avant : force par ta vaillance
Ce monarque au pardon, et Chimène au silence;
1095 Si tu l'aimes, apprends que revenir vainqueur,
C'est l'unique moyen de regagner son cœur.
Mais le temps est trop cher pour le perdre en paroles :
Je t'arrête en discours[1] et[2] je veux que tu voles.
Viens, suis-moi, va combattre, et montrer à ton roi
1100 Que ce qu'il perd au[3] Comte il le recouvre en toi.

1. *en discours* : à écouter mes discours.
2.. *et* : et pourtant, alors que.
3.. *au Comte* : en la personne du Comte.

Compréhension

Scène 5 :

1. *Où se passe cette scène et à quel moment ? Comment se fait-il que don Diègue n'aperçoive pas Rodrigue ?*

2. *Pourquoi Corneille a-t-il différé jusque là la rencontre de Rodrigue et de son père ? Comment s'est-il efforcé de rendre plausible ce retard ?*

3. *Quels sont les sujets d'inquiétude de don Diègue ? Sont-ils justifiés ?*

Scène 6 :

4. *Analysez la composition de cette scène.*

5. *Comment Corneille a-t-il rendu le conflit des générations ? Quels sont les sentiments de don Diègue ? Qu'éprouve au contraire Rodrigue ?*

6. *Montrez que nous sommes ici en présence de deux morales inconciliables et efforcez-vous de les caractériser.*

7. *En quoi Rodrigue apparaît-il ici comme un héros tragique ?*

Bilan

● *Ce que nous savons*

L'impasse tragique

— *Prologue à la rencontre (scènes 1 à 3) :*

Scène 1 : *Rodrigue vient offrir sa tête à Chimène.*

Scène 2 : *Chimène refuse l'offre de don Sanche d'être son champion.*

Scène 3 : *Rodrigue, caché, entend Chimène déclarer à Elvire qu'elle continue de l'adorer.*

— *Sommet de l'acte et de l'œuvre (scène 4) :*

Rodrigue et Chimène ont une longue explication : Rodrigue lui offre sa vie et se justifie d'avoir tué le Comte ; Chimène lui répond que sa passion ne l'empêchera pas de faire à son tour son devoir. Leur rencontre se termine par le duo lyrique de deux âmes brisées.

— *Infléchissement du drame et esquisse d'une solution (scènes 5 et 6) :*

Scène 5 : *Monologue anxieux de don Diègue à la recherche de son fils.*

Scène 6 : *La joie de son père heurte douloureusement Rodrigue, don Diègue le relance dans l'action en l'envoyant combattre les Mores.*

L'action engagée à l'acte I, désormais figée, ne peut plus progresser que par l'intervention de données extérieures.

● *À quoi nous attendre ?*

Rodrigue pourra-t-il vaincre les Mores ? Une éventuelle victoire suffirait-elle à contraindre le Roi au pardon et Chimène au silence ?

ACTE IV

SCÈNE PREMIÈRE. Chimène, Elvire

CHIMÈNE

N'est-ce point un faux bruit? le sais-tu bien, Elvire?

ELVIRE

Vous ne croiriez jamais comme chacun l'admire,
Et porte jusqu'au ciel, d'une commune voix,
De ce jeune héros les glorieux exploits.
1105 Les Mores devant lui n'ont paru qu'à leur honte;
Leur abord° fut bien prompt, leur fuite encor plus prompte.
Trois heures de combat laissent à nos guerriers
Une victoire entière et deux rois prisonniers.
La valeur de leur chef ne trouvait point d'obstacles.

CHIMÈNE
1110 Et la main de Rodrigue a fait tous ces miracles?

ELVIRE

De ses nobles efforts ces deux rois sont le prix:
Sa main les a vaincus, et sa main les a pris.

CHIMÈNE

De qui peux-tu savoir ces nouvelles étranges°?

ELVIRE

Du peuple, qui partout fait sonner[1] ses louanges,
1115 Le nomme de sa joie et l'objet et l'auteur,
Son ange tutélaire[2], et son libérateur.

CHIMÈNE

Et le Roi, de quel œil voit-il tant de vaillance?

ELVIRE

Rodrigue n'ose encor paraître en sa présence;
Mais don Diègue ravi° lui présente enchaînés,
1120 Au nom de ce vainqueur, ces captifs couronnés,

---

1. *sonner* : retentir.
2. *tutélaire* : protecteur.

Et demande pour grâce à ce généreux prince
Qu'il daigne voir la main[1] qui sauve la province[2].

CHIMÈNE

Mais n'est-il point blessé ?

ELVIRE

                  Je n'en ai rien appris.
Vous changez de couleur ! reprenez vos esprits.

CHIMÈNE

1125 Reprenons donc aussi ma colère affaiblie :
Pour avoir soin de lui[3] faut-il que je m'oublie[4] ?
On le vante, on le loue, et mon cœur y consent !
Mon honneur est muet, mon devoir impuissant !
Silence, mon amour, laisse agir ma colère :
1130 S'il a vaincu deux rois, il a tué mon père ;
Ces tristes vêtements[5] où je lis mon malheur
Sont les premiers effets* qu'ait produits sa valeur*,
Et quoi qu'on die[6] ailleurs d'un cœur si magnanime,
Ici tous les objets me parlent de son crime.
1135 Vous qui rendez la force à mes ressentiments*,
Voiles, crêpes, habits, lugubres ornements,
Pompe[7] que me prescrit[8] sa première victoire,
Contre ma passion soutenez bien ma gloire ;
Et lorsque mon amour prendra trop de pouvoir,
1140 Parlez à mon esprit de mon triste devoir,
Attaquez sans rien craindre une main triomphante.

ELVIRE

Modérez ces transports*, voici venir l'Infante.

---

1. *la main* : celui dont la main...
2. *la province* : le royaume.
3. *pour avoir soin de lui* : sens causal de *pour* : parce que je me soucie de lui.
4. *je m'oublie* : que j'oublie mon devoir.
5. *tristes vêtements* : habits de deuil.
6. *die* : forme ancienne de subjonctif présent de *dire*, déjà vieillie à l'époque.
7. *pompe* : appareil funèbre.
8. *me prescrit* : m'impose.

Questions

Compréhension

1. À quel moment du second jour se situe cette scène ?
2. Justifiez la réaction douloureuse de Chimène (v. 1125-1141).

Écriture

3. Relevez les expressions hyperboliques qu'emploie Elvire pour célébrer la valeur de Rodrigue.

Le Cid (film d'Antony Mann, 1961) ; le combat contre les Mores.

SCÈNE 2. L'Infante, Chimène, Léonor, Elvire

L'INFANTE
Je ne viens pas ici consoler tes douleurs ;
Je viens plutôt mêler mes soupirs à tes pleurs.

CHIMÈNE
1145 Prenez bien plutôt part à la commune joie,
Et goûtez le bonheur que le ciel vous envoie,
Madame : autre que moi[1] n'a droit de soupirer.
Le péril dont Rodrigue a su nous retirer
Et le salut public que vous rendent ses armes
1150 À moi seule aujourd'hui souffrent[2] encor les larmes :
Il a sauvé la ville, il a servi son roi ;
Et son bras valeureux n'est funeste qu'à moi.

L'INFANTE
Ma Chimène, il est vrai qu'il a fait des merveilles.

CHIMÈNE
Déjà ce bruit fâcheux[3] a frappé mes oreilles ;
1155 Et je l'entends partout publier hautement•
Aussi brave guerrier que malheureux amant.

L'INFANTE
Qu'a de fâcheux pour toi ce discours populaire[4] ?
Ce jeune Mars[5] qu'il loue a su jadis te plaire :
Il possédait ton âme, il vivait sous tes lois ;
1160 Et vanter sa valeur, c'est honorer[6] ton choix.

CHIMÈNE
Chacun peut la vanter avec quelque justice ;
Mais pour moi sa louange[7] est un nouveau supplice.
On aigrit ma douleur en l'[8]élevant si haut :

---

1. *autre* : un autre ou une autre (suppression de l'article fréquente au XVIIᵉ siècle).
2. *souffrent* : permettent.
3. *fâcheux* : déplaisant (pour Chimène).
4. *populaire* : tenu par le peuple.
5. *Mars* : dieu de la guerre chez les Romains.
6. *honorer* : rendre hommage à.
7. *sa louange* : le fait de louer sa vaillance.
8. *l'* : Rodrigue.

Je vois ce que je perds quand je vois ce qu'il vaut.
1165 Ah ! cruels déplaisirs* à l'esprit d'une amante !
Plus j'apprends son mérite, et plus mon feu* s'augmente :
Cependant mon devoir est toujours le plus fort,
Et malgré mon amour va poursuivre sa mort[1].

L'INFANTE
Hier[2] ce devoir te mit en une haute estime ;
1170 L'effort que tu te fis[3] parut si magnanime,
Si digne d'un grand cœur, que chacun à la cour
Admirait ton courage et plaignait ton amour.
Mais croirais-tu l'avis d'une amitié fidèle ?

CHIMÈNE
Ne vous obéir pas me rendrait criminelle.

L'INFANTE
1175 Ce qui fut juste alors ne l'est plus aujourd'hui.
Rodrigue maintenant est notre unique appui,
L'espérance et l'amour d'un peuple qui l'adore,
Le soutien de Castille[4], et la terreur du More.
Le Roi même est d'accord de cette vérité,
1180 Que[5] ton père en lui seul se voit ressuscité ;
Et si tu veux enfin qu'en deux mots je m'explique,
Tu poursuis en sa mort la ruine publique[6].
Quoi ! pour venger un père est-il jamais permis
De livrer sa patrie aux mains des ennemis ?
1185 Contre nous[7] ta poursuite est-elle légitime,
Et pour être punis avons-nous part au crime ?
Ce n'est pas qu'après tout tu doives épouser
Celui qu'un père mort[8] t'obligeait d'accuser :
Je te voudrais moi-même en arracher l'envie ;
1190 Ôte-lui ton amour, mais laisse-nous sa vie.

---

1. *poursuivre sa mort* : essayer d'obtenir sa mort (par une poursuite judiciaire).
2. *hier* : prononcer en une seule syllabe.
3. *que tu te fis* : que tu fis sur toi-même.
4. *de Castille* : de la Castille.
5. *que* : cette vérité, à savoir que.
6. *publique* : tu t'exposes à ruiner l'État en demandant sa mort.
7. *contre nous* : dès lors qu'elle s'exerce contre nous.
8. *un père mort* : la mort de ton père.

CHIMÈNE

Ah! ce n'est pas à moi d'avoir tant de bonté;
Le devoir qui m'aigrit[1] n'a rien de limité[2].
Quoique pour ce vainqueur mon amour s'intéresse,
Quoiqu'un peuple l'adore et qu'un roi le caresse,
1195 Qu'il soit environné des plus vaillants guerriers,
J'irai sous mes cyprès[3] accabler ses lauriers.

L'INFANTE

C'est générosité* quand pour venger un père
Notre devoir attaque[4] une tête si chère;
Mais c'en est une encor d'un plus illustre rang,
1200 Quand on donne au public les intérêts du sang[5].
Non, crois-moi, c'est assez que d'éteindre ta flamme*;
Il sera trop puni s'il n'est plus dans ton âme.
Que le bien du pays t'impose cette loi:
Aussi bien[6], que crois-tu que t'accorde le Roi?

CHIMÈNE

1205 Il peut me refuser[7], mais je ne puis me taire.

L'INFANTE

Pense bien, ma Chimène, à ce que tu veux faire.
Adieu: tu pourras seule y penser à loisir.

CHIMÈNE

Après mon père mort[8], je n'ai point à choisir.

---

1. *qui m'aigrit*: qui irrite mon ressentiment, excite ma colère.
2. *n'a rien de limité*: n'a pas de limite.
3. *cyprès*: arbre des cimetières, opposé ici au laurier, symbole de la gloire.
4. *attaque*: en justice.
5. *du sang*: quand on sacrifie au public les intérêts familiaux, privés.
6. *aussi bien*: du reste.
7. *me refuser*: m'opposer un refus.
8. *après mon père mort*: après la mort de mon père (construction latine du participe).

Compréhension

1. *Quelles sont, selon vous, les raisons de la visite de l'Infante à Chimène ? Quel objectif poursuit-elle ?*

2. *Chimène peut-elle adopter la conduite que lui conseille l'Infante ?*

3. *Quel est, selon vous, l'intérêt de cette scène ?*

SCÈNE 3. DON FERNAND, DON DIÈGUE,
DON ARIAS, DON RODRIGUE, DON SANCHE

DON FERNAND

Généreux• héritier d'une illustre famille,
1210 Qui fut toujours la gloire et l'appui de Castille[1],
Race de tant d'aïeux en valeur signalés[2],
Que l'essai de la tienne a sitôt égalés,
Pour te récompenser ma force est trop petite ;
Et j'ai moins de pouvoir que tu n'as de mérite.
1215 Le pays délivré[3] d'un si rude ennemi,
Mon sceptre dans ma main par la tienne affermi,
Et les Mores défaits avant qu'en ces alarmes
J'eusse pu donner ordre à[4] repousser leurs armes,
Ne sont point des exploits qui laissent à ton roi
1220 Le moyen ni l'espoir de s'acquitter vers[5] toi.
Mais deux rois tes captifs feront ta récompense.
Ils t'ont nommé tous deux leur Cid[6] en ma présence :
Puisque Cid en leur langue est autant que seigneur,
Je ne t'envierai[7] pas ce beau titre d'honneur.
1225 Sois désormais le Cid : qu'à ce grand nom tout cède ;
Qu'il comble d'épouvante et Grenade et Tolède,
Et qu'il marque à tous ceux qui vivent sous mes lois
Et ce que tu me vaux, et ce que je te dois.

DON RODRIGUE

Que Votre Majesté, Sire, épargne ma honte[8] ;
1230 D'un si faible service elle fait trop de conte[9],
Et me force à rougir devant un si grand roi

---

1. *de Castille* : de la Castille.
2. *en valeur signalés* : qui se sont signalés par leur bravoure.
3. *le pays délivré* : le fait que le pays ait été délivré, que mon sceptre ait été affermi, que les Mores aient été défaits (construction latine du participe).
4. *donner ordre à* : prendre des mesures pour.
5. *vers* : envers.
6. *Cid* : d'un mot arabe signifiant chef (*Sidi*, seigneur).
7. *je ne t'envierai pas* : je ne te refuserai pas.
8. *ma honte* : ma modestie.
9. *conte* : trop de compte, trop d'estime.

De mériter si peu l'honneur que j'en reçoi[1].
Je sais trop que je dois au bien de votre empire[2],
Et le sang qui m'anime, et l'air que je respire ;
1235 Et quand je les perdrai pour un si digne objet,
Je ferai seulement le devoir d'un sujet.

DON FERNAND
Tous ceux que ce devoir à mon service engage
Ne s'en acquittent pas avec même courage ;
Et lorsque la valeur ne va point dans l'excès
1240 Elle ne produit point de si rares• succès.
Souffre donc qu'on te loue, et de cette victoire
Apprends-moi plus au long[3] la véritable histoire.

DON RODRIGUE
Sire, vous avez su qu'en ce danger pressant,
Qui jeta dans la ville un effroi si puissant,
1245 Une troupe d'amis chez mon père assemblée
Sollicita[4] mon âme encor toute troublée...
Mais, Sire, pardonnez à ma témérité,
Si j'osai l'employer sans votre autorité[5] :
Le péril approchait ; leur brigade• était prête ;
1250 Me montrant à la cour, je hasardais• ma tête ;
Et s'il fallait la perdre, il m'était bien plus doux
De sortir de la vie en combattant pour vous.

DON FERNAND
J'excuse ta chaleur[6] à venger ton offense ;
Et l'État défendu me parle en ta défense :
1255 Crois que dorénavant Chimène a beau parler,
Je ne l'écoute plus que pour la consoler.
Mais poursuis.

DON RODRIGUE
              Sous moi[7] donc cette troupe s'avance,

---

1. *reçoi* : orthographe conforme à l'étymologie, encore courante au XVIIᵉ siècle.
2. *de votre empire* : de votre État.
3.. *plus au long* : de façon plus détaillée.
4. *sollicita* : entraîna, ébranla.
5. *sans votre autorité* : sans y avoir été autorisé par vous.
6. *ta chaleur* : ton ardeur, ta précipitation.
7. *sous moi* : sous mon commandement.

Et porte sur le front une mâle assurance.
Nous partîmes cinq cents ; mais par un prompt renfort
1260 Nous nous vîmes trois mille en arrivant au port,
Tant, à nous voir marcher avec un tel visage,
Les plus épouvantés reprenaient leur courage !
J'en cache les deux tiers, aussitôt qu'arrivés,
Dans le fond des vaisseaux qui lors furent trouvés ;
1265 Le reste, dont le nombre augmentait à toute heure,
Brûlant d'impatience autour de moi demeure,
Se couche contre terre, et sans faire aucun bruit,
Passe une bonne part[1] d'une si belle nuit.
Par mon commandement la garde en fait de même,
1270 Et se tenant cachée, aide à mon stratagème[2] ;
Et je feins hardiment d'avoir reçu de vous
L'ordre qu'on me voit suivre et que je donne à tous.
Cette obscure clarté qui tombe des étoiles
Enfin avec le flux[3] nous fait voir trente voiles ;
1275 L'onde s'enfle dessous, et d'un commun effort
Les Mores et la mer montent jusques au port.
On les laisse passer ; tout leur paraît tranquille :
Point de soldats au port, point aux murs de la ville.
Notre profond silence abusant leurs esprits,
1280 Ils n'osent plus douter de nous avoir surpris ;
Ils abordent sans peur, ils ancrent, ils descendent,
Et courent se livrer aux mains qui les attendent.
Nous nous levons alors, et tous en même temps
Poussons jusques au ciel mille cris éclatants.
1285 Les nôtres, à ces cris, de nos vaisseaux répondent ;
Ils paraissent armés[4], les Mores se confondent[5],
L'épouvante les prend à demi descendus[6],
Avant que de combattre, ils s'estiment perdus.
Ils couraient au pillage, et rencontrent la guerre ;

---

1. *une bonne part* : une grande partie.
2. *aide à mon stratagème* : appuie ma ruse.
3. *le flux* : la marée montante.
4. *ils paraissent armés* : ils se montrent en armes.
5. *se confondent* : se troublent, tombent dans la confusion.
6. *descendus* : de leurs vaisseaux, à moitié débarqués.

1290 Nous les pressons sur l'eau, nous les pressons sur terre,
     Et nous faisons courir des ruisseaux de leur sang,
     Avant qu'aucun résiste ou reprenne son rang.
     Mais bientôt, malgré nous, leurs princes les rallient ;
     Leur courage renaît, et leur terreurs s'oublient[1] :
1295 La honte de mourir sans avoir combattu
     Arrête leur désordre, et leur rend leur vertu•.
     Contre nous de pied ferme ils tirent leurs alfanges[2],
     De notre sang au leur font d'horribles mélanges ;
     Et la terre, et le fleuve, et leur flotte, et le port,
1300 Sont des champs de carnage où triomphe la mort.
     Ô combien d'actions, combien d'exploits célèbres[3]
     Sont demeurés sans gloire au milieu des ténèbres,
     Où chacun, seul témoin des grands coups qu'il donnait,
     Ne pouvait discerner où le sort inclinait[4] !
1305 J'allais de tous côtés encourager les nôtres,
     Faire avancer les uns, et soutenir les autres,
     Ranger ceux qui venaient, les pousser à leur tour,
     Et ne l'ai pu savoir[5] jusques au point du jour.
     Mais enfin sa clarté montre notre avantage :
1310 Le More voit sa perte[6] et perd soudain courage,
     Et voyant un renfort qui nous vient secourir,
     L'ardeur de vaincre cède à la peur de mourir.
     Ils gagnent leurs vaisseaux, ils en coupent les câbles,
     Poussent jusques aux cieux des cris épouvantables,
1315 Font retraite en tumulte, et sans considérer
     Si leurs rois avec eux peuvent se retirer.
     Pour souffrir ce devoir leur frayeur est trop forte :
     Le flux les apporta ; le reflux[7] les remporte,
     Cependant que[8] leurs rois, engagés parmi nous,
1320 Et quelque peu des leurs, tous percés de nos coups,

---

1. *s'oublient* : s'effacent, sont oubliées.
2. *alfanges* : cimeterres, sabres recourbés.
3. *célèbres* : qui auraient mérité la célébrité.
4. *inclinait* : de quel côté le sort penchait.
5. *ne l'ai pu savoir* : de quel côté était la victoire.
6. *voit sa perte* : constate qu'il est perdu.
7. *le reflux* : la marée descendante.
8. *cependant que* : tandis que (subordonnée temporelle).

Disputent vaillamment et vendent bien leur vie.
À se rendre moi-même en vain je les convie :
Le cimeterre au poing ils ne m'écoutent pas ;
Mais voyant à leurs pieds tomber tous leurs soldats,
1325 Et que seuls désormais en vain ils se défendent,
Ils demandent le chef : je me nomme, ils se rendent.
Je vous les envoyai tous deux en même temps ;
Et le combat cessa faute de combattants.
C'est de cette façon que, pour votre service...

Jacques Lyser et François Beaulieu à la Comédie Française, 1977.

Compréhension

1. Analysez la composition de cette scène.

2. Montrez l'habileté de Rodrigue dans sa manière de présenter son initiative (v. 1243-1252).

3. Dégagez la signification et l'importance des v. 1253-1256.

Écriture

4. Faites une explication littéraire suivie du récit de Rodrigue (v. 1257-1328) : à quoi tient la poésie de ce « morceau de bravoure » ? Étudiez notamment les jeux d'ombre et de lumière, du silence et des bruits, de l'immobilité et des mouvements, et relevez les effets de rythme.

Mise en scène

5. Si vous étiez peintre, comment représenteriez-vous ce combat ? Et si vous étiez cinéaste ?

SCÈNE 4. DON FERNAND, DON DIÈGUE, DON RODRIGUE,
DON ARIAS, DON ALONSE, DON SANCHE

DON ALONSE

1330 Sire, Chimène vient vous demander justice.

DON FERNAND

La fâcheuse nouvelle, et l'importun devoir !
Va, je ne la veux pas obliger à te voir.
Pour tous remerciements il faut que je te chasse ;
Mais avant que[1] sortir, viens, que ton roi t'embrasse.

DON DIÈGUE

1335 Chimène le poursuit, et voudrait le sauver.

DON FERNAND

On m'a dit qu'elle l'aime, et je vais l'éprouver[2].
Montrez un œil plus triste.

SCÈNE 5. DON FERNAND, DON DIÈGUE,
DON ARIAS, DON SANCHE, DON ALONSE,
CHIMÈNE, ELVIRE

DON FERNAND

                           Enfin soyez contente•,
Chimène, le succès• répond à votre attente :
Si de nos ennemis Rodrigue a le dessus,
1340 Il est mort à nos yeux des coups qu'il a reçus ;
Rendez grâces au ciel, qui vous en a vengée.

                                    (À don Diègue.)

Voyez comme déjà sa couleur est changée.

DON DIÈGUE

Mais voyez qu'elle pâme•, et d'un amour parfait,
Dans cette pâmoison, Sire, admirez l'effet.

---

1. *avant que* : avant de.
2. *l'éprouver* : m'en assurer, en faire l'épreuve.

1345 Sa douleur a trahi les secrets de son âme,
Et ne vous permet plus de douter de sa flamme.

CHIMÈNE
Quoi! Rodrigue est donc mort?

DON FERNAND
Non, non, il voit le jour[1],
Et te conserve encore un immuable amour :
Calme cette douleur qui pour lui s'intéresse.

CHIMÈNE
1350 Sire, on pâme de joie ainsi que de tristesse ;
Un excès de plaisir nous rend tout languissants[2],
Et quand il surprend l'âme, il accable les sens.

DON FERNAND
Tu veux qu'en ta faveur[3] nous croyions l'impossible ?
Chimène, ta douleur a paru trop visible.

CHIMÈNE
1355 Eh bien! Sire, ajoutez ce comble à mon malheur,
Nommez ma pâmoison l'effet de ma douleur :
Un juste déplaisir à ce point m'a réduite[4].
Son trépas dérobait sa tête à ma poursuite ;
S'il meurt des coups reçus pour le bien du pays,
1360 Ma vengeance est perdue et mes desseins trahis :
Une si belle fin m'est trop injurieuse[5].
Je demande sa mort, mais non pas glorieuse*,
Non pas dans un éclat qui l'élève si haut,
Non pas au lit d'honneur[6], mais sur un échafaud ;
1365 Qu'il meure pour mon père[7], et non pour la patrie ;
Que son nom soit taché, sa mémoire flétrie.
Mourir pour le pays n'est pas un triste sort ;
C'est s'immortaliser par une belle mort.

---

1. *il voit le jour* : il est vivant.
2. *tout languissants* : totalement privés de forces.
3. *en ta faveur* : par complaisance envers toi.
4. *m'a réduite* : c'est une juste douleur qui a entraîné mon évanouissement.
5. *m'est trop injurieuse* : est trop injuste pour moi.
6. *au lit d'honneur* : au champ d'honneur.
7. *pour mon père* : pour venger mon père.

J'aime donc sa victoire, et je le puis sans crime ;
1370 Elle assure[1] l'État, et me rend ma victime,
Mais noble, mais fameuse entre tous les guerriers,
Le chef*, au lieu de fleurs[2], couronné de lauriers ;
Et pour dire en un mot ce que j'en considère[3],
Digne d'être immolée aux mânes[4] de mon père...
1375 Hélas ! à quel espoir me laissé-je emporter !
Rodrigue de ma part n'a rien à redouter :
Que pourraient contre lui des larmes qu'on méprise ?
Pour lui tout votre empire est un lieu de franchise[5] ;
Là, sous votre pouvoir, tout lui devient permis ;
1380 Il triomphe de moi comme des ennemis.
Dans leur sang répandu la justice étouffée
Aux crimes du vainqueur sert d'un[6] nouveau trophée ;
Nous en croissons la pompe[7], et le mépris des lois
Nous fait suivre son char au milieu de deux rois.

DON FERNAND

1385 Ma fille, ces transports* ont trop de violence.
Quand on rend la justice, on met tout en balance[8] :
On a tué ton père, il était l'agresseur ;
Et la même équité[9] m'ordonne la douceur.
Avant que d'accuser ce que j'en fais paraître[10],
1390 Consulte bien ton cœur : Rodrigue en est le maître,
Et ta flamme en secret rend grâces à ton roi
Dont la faveur[11] conserve un tel amant pour toi.

---

1. *assure* : affermit, donne la sécurité à.
2. *fleurs* : on couronnait de fleurs, chez les Anciens, les victimes qu'on
allait sacrifier.
3. *ce que j'en considère* : ma manière de considérer les choses, ma façon
de penser.
4. *mânes* : l'âme d'un défunt, dans la religion romaine.
5. *un lieu de franchise* : un refuge, un asile où il se trouve à l'abri des
poursuites de la justice.
6. *d'un* : de.
7. *nous en croissons la pompe* : nous augmentons son triomphe.
8. *on met tout en balance* : on pèse tout.
9. *la même équité* : l'équité elle-même.
10. *ce que j'en fais paraître* : ce que je montre de douceur.
11. *la faveur* : envers Rodrigue.

CHIMÈNE

Pour moi! mon ennemi! l'objet de ma colère!
L'auteur de mes malheurs! l'assassin de mon père!
1395 De ma juste conduite on fait si peu de cas
Qu'on me croit obliger[1] en ne m'écoutant pas!
Puisque vous refusez la justice à mes larmes,
Sire, permettez-moi de recourir aux armes;
C'est par là seulement qu'il a su m'outrager,
1400 Et c'est aussi par là que je me dois venger.
À tous vos cavaliers* je demande sa tête:
Oui, qu'un d'eux[2] me l'apporte, et je suis sa conquête;
Qu'ils le combattent, Sire, et le combat fini,
J'épouse le vainqueur, si Rodrigue est puni.
1405 Sous votre autorité souffrez qu'on le publie[3].

DON FERNAND

Cette vieille coutume en ces lieux établie,
Sous couleur[4] de punir un injuste attentat,
Des meilleurs combattants[5] affaiblit un État;
Souvent de cet abus le succès déplorable
1410 Opprime l'innocent, et soutient le coupable.
J'en dispense Rodrigue; il m'est trop précieux
Pour l'exposer aux coups d'un sort capricieux;
Et quoi qu'ait pu commettre un cœur si magnanime,
Les Mores en fuyant ont emporté son crime.

DON DIÈGUE

1415 Quoi! Sire, pour lui seul vous renversez des lois
Qu'a vu toute la cour observer tant de fois!
Que croira votre peuple et que dira l'envie,
Si sous votre défense[6] il ménage sa vie,
Et s'en fait un prétexte à ne paraître pas

---

1. *obliger* : qu'on croit me rendre service, m'être agréable.
2. *un d'eux* : un d'entre eux (n'importe lequel).
3. *sous votre autorité souffrez qu'on le publie* : permettez qu'on l'annonce publiquement avec votre consentement.
4. *sous couleur* : sous prétexte.
5. *des meilleurs combattants* : en ôtant, en perdant les meilleurs combattants.
6. *sous votre défense* : en s'abritant sous la défense que vous lui faites (de s'exposer).

1420 Où tous les gens d'honneur cherchent un beau trépas ?
De pareilles faveurs terniraient trop sa gloire :
Qu'il goûte sans rougir les fruits de sa victoire.
Le Comte eut de l'audace, il l'en a su punir :
Il l'a fait en brave homme[1], et le doit maintenir.

DON FERNAND
1425 Puisque vous le voulez, j'accorde qu'il le fasse ;
Mais d'un guerrier vaincu mille prendraient la place,
Et le prix que Chimène au vainqueur a promis
De tous mes cavaliers ferait ses ennemis.
L'opposer seul à tous serait trop d'injustice :
1430 Il suffit qu'une fois il entre dans la lice[2].
Choisis qui tu voudras[3], Chimène, et choisis bien ;
Mais après ce combat ne demande plus rien.

DON DIÈGUE
N'excusez point par là ceux que son bras étonne• :
Laissez un champ ouvert[4], où n'entrera personne.
1435 Après ce que Rodrigue a fait voir aujourd'hui,
Quel courage assez vain• s'oserait prendre à lui ?
Qui se hasarderait contre un tel adversaire ?
Qui serait ce vaillant, ou bien ce téméraire ?

DON SANCHE
Faites ouvrir le champ : vous voyez l'assaillant ;
1440 Je suis ce téméraire, ou plutôt ce vaillant.
Accordez cette grâce à l'ardeur qui me presse[5],
Madame : vous savez quelle est votre promesse.

DON FERNAND
Chimène, remets-tu ta querelle• en sa main ?

CHIMÈNE
Sire, je l'ai promis.

---

1. *en brave homme* : en homme brave, en preux.
2. *lice* : arène où s'affrontent les guerriers dans un tournoi ou un duel.
3. *qui tu voudras* : comme champion pour affronter Rodrigue.
4. *un champ ouvert* : où tous puissent venir combattre, au contraire du *champ clos*.
5. *presse* : pousse.

DON FERNAND
Soyez prêt à demain.

DON DIÈGUE
1445 Non, Sire, il ne faut pas différer davantage :
On est toujours trop prêt quand on a du courage.

DON FERNAND
Sortir d'une bataille, et combattre à l'instant !

DON DIÈGUE
Rodrigue a pris haleine[1] en vous la racontant.

DON FERNAND
Du moins une heure ou deux je veux qu'il se délasse.
1450 Mais de peur qu'en exemple un tel combat ne passe,
Pour témoigner à tous qu'à regret je permets
Un sanglant procédé qui ne me plut jamais,
De moi ni de ma cour il n'aura la présence.

(Il parle à don Arias.)

Vous seul des combattants jugerez la vaillance :
1455 Ayez soin que tous deux fassent en gens de cœur[2],
Et le combat fini, m'amenez[3] le vainqueur.
Qui qu'il soit[4], même prix est acquis à sa peine :
Je le veux de ma main présenter à Chimène,
Et que pour récompense il reçoive sa foi[5].

CHIMÈNE
1460 Quoi ! Sire, m'imposer une si dure loi !

DON FERNAND
Tu t'en plains ; mais ton feu•, loin d'avouer• ta plainte,
Si Rodrigue est vainqueur, l'accepte sans contrainte.
Cesse de murmurer contre un arrêt si doux :
Qui que ce soit des deux, j'en ferai ton époux.

---

1. *a pris haleine* : a repris son souffle.
2. *fassent en gens de cœur* : agissent noblement, en respectant les règles du duel.
3. *m'amenez* : amenez-moi.
4. *qui qu'il soit* : quel qu'il soit.
5. *sa foi* : sa fidélité conjugale, son engagement à l'épouser.

Compréhension

1. *Pourquoi Chimène vient-elle une nouvelle fois deman-*
der justice ? Voyez l'explication qu'en donne Corneille dans
son Examen *(cf. p. 145).*

2. *Le subterfuge auquel recourt le Roi pour rendre public*
l'amour de Chimène a été critiqué comme incompatible
avec la dignité tragique. Qu'en pensez-vous ?

3. *Pourquoi Chimène demande-t-elle ici un recours aux*
armes qu'elle avait écarté à l'acte précédent (acte III,
sc. 2) ? En quel sens le Roi infléchit-il sa demande ?

4. *L'intervention finale de don Sanche crée-t-elle un effet*
de surprise ?

Écriture

5. *Relevez les expressions qui montrent que Chimène se*
laisse emporter par la colère et le dépit.

Bilan

● *Ce que nous savons*

Dernière étape d'une ascension héroïque : Rodrigue devient le Cid.

— *Les conséquences pour Chimène de la victoire de Rodrigue* (scènes 1 et 2) :
Chimène est désormais solitaire dans sa quête de vengeance (scène 1).
Elle risque de se heurter aux visées nouvelles de l'Infante (scène 2).

— *Récit par Rodrigue de sa victoire sur les Mores, qui entraîne* **le pardon du Roi** *(scène 3).*

— *Mais Chimène ne désarme pas* (scènes 4 et 5) :
Un subterfuge ayant entraîné la manifestation publique de son amour, elle sollicite du Roi le recours à une ultime épreuve, celle du duel judiciaire.

● *À quoi nous attendre ?*

L'acte IV débouche donc sur un ultime rebondissement de l'action :
Rodrigue sortira-t-il vainqueur de cette dernière épreuve ?
Chimène se soumettra-t-elle au verdict des armes ?

ACTE V

SCÈNE PREMIÈRE. DON RODRIGUE, CHIMÈNE

CHIMÈNE

1465 Quoi! Rodrigue, en plein jour! d'où te vient cette audace?
Va, tu me perds d'honneur[1]; retire-toi, de grâce.

DON RODRIGUE

Je vais mourir, Madame[2], et vous viens en ce lieu,
Avant le coup mortel, dire un dernier adieu :
Cet immuable amour qui sous vos lois m'engage
1470 N'ose accepter ma mort sans vous en faire hommage.

CHIMÈNE

Tu vas mourir!

DON RODRIGUE

Je cours à ces heureux moments
Qui vont livrer ma vie à vos ressentiments.

CHIMÈNE

Tu vas mourir! Don Sanche est-il si redoutable
Qu'il donne l'épouvante à ce cœur indomptable?
1475 Qui t'a rendu si faible, ou qui le rend si fort?
Rodrigue va combattre, et se croit déjà mort!
Celui qui n'a pas craint les Mores, ni mon père,
Va combattre don Sanche, et déjà désespère!
Ainsi donc au besoin[3] ton courage s'abat!

DON RODRIGUE

1480 Je cours à mon supplice[4], et non pas au combat;
Et ma fidèle ardeur[5] sait bien m'ôter l'envie,
Quand vous cherchez ma mort, de défendre ma vie.

---

1. *tu me perds d'honneur* : tu ruines mon honneur, tu me déshonores.
2. *madame* : titre donné aux jeunes filles nobles.
3. *au besoin* : quand tu en as besoin, quand il te serait le plus nécessaire.
4. *à mon supplice* : comme un condamné.
5. *ma fidèle ardeur* : ma passion inaltérable.

J'ai toujours même cœur[1] ; mais je n'ai point de bras
Quand il faut conserver ce qui ne vous plaît pas ;
1485 Et déjà cette nuit m'aurait été mortelle,
Si j'eusse combattu pour ma seule querelle• ;
Mais défendant mon roi, son peuple et mon pays,
À me défendre mal[2] je les aurais trahis.
Mon esprit généreux ne hait pas tant la vie,
1490 Qu'il en veuille[3] sortir par une perfidie.
Maintenant qu'il s'agit de mon seul intérêt[4],
Vous demandez ma mort, j'en accepte l'arrêt.
Votre ressentiment choisit la main d'un autre
(Je ne méritais pas de mourir de la vôtre) :
1495 On ne me verra point en repousser les coups ;
Je dois plus de respect à qui[5] combat pour vous ;
Et ravi de penser que c'est de vous qu'ils viennent[6],
Puisque c'est votre honneur que ses armes soutiennent,
Je vais lui présenter mon estomac• ouvert,
1500 Adorant en sa main la vôtre qui me perd.

CHIMÈNE

Si d'un triste• devoir la juste violence,
Qui me fait malgré moi poursuivre ta vaillance,
Prescrit à ton amour une si forte loi
Qu'il te rend sans défense à qui[7] combat pour moi,
1505 En cet aveuglement ne perds pas la mémoire
Qu'ainsi que de ta vie il y va de ta gloire,
Et que dans quelque éclat que Rodrigue ait vécu,
Quand on le saura mort, on le croira vaincu.
Ton honneur t'est plus cher que je ne te suis chère,
1510 Puisqu'il trempe tes mains dans le sang de mon père,
Et te fait renoncer, malgré ta passion,
À l'espoir le plus doux de ma possession :

1. *même cœur* : le même courage.
2. *à me défendre mal* : en me défendant mal.
3. *tant... qu'il en veuille sortir* : ne hait pas la vie au point de vouloir en sortir.
4. *de mon seul intérêt* : d'un intérêt qui ne regarde plus que moi.
5. *à qui* : à quelqu'un qui, à celui qui.
6. *qu'ils viennent* : les coups.
7. *à qui* : contre celui qui.

Je t'en vois cependant faire si peu de conte*
Que sans rendre combat[1] tu veux qu'on te surmonte[2].
1515 Quelle inégalité[3] ravale ta vertu[4]?
Pourquoi ne l'as-tu plus, ou pourquoi l'avais-tu?
Quoi? n'es-tu généreux que pour me faire outrage?
S'il ne faut m'offenser, n'as-tu point de courage?
Et traites-tu mon père avec tant de rigueur,
1520 Qu'après l'avoir vaincu tu souffres un vainqueur?
Va, sans vouloir mourir, laisse-moi te poursuivre,
Et défends ton honneur, si tu ne veux plus vivre.

DON RODRIGUE
Après la mort du Comte, et les Mores défaits[5],
Faudrait-il à ma gloire encor d'autres effets*?
1525 Elle peut dédaigner le soin de me défendre :
On sait que mon courage ose tout entreprendre,
Que ma valeur peut tout, et que dessous les cieux,
Auprès de mon honneur[6], rien ne m'est précieux.
Non, non, en ce combat, quoi que vous veuilliez croire,
1530 Rodrigue peut mourir sans hasarder sa gloire[7],
Sans qu'on l'ose accuser d'avoir manqué de cœur,
Sans passer pour vaincu, sans souffrir un vainqueur.
On dira seulement : « Il adorait Chimène ;
Il n'a pas voulu vivre et mériter sa haine ;
1535 Il a cédé lui-même à la rigueur du sort
Qui forçait sa maîtresse à poursuivre[8] sa mort :
Elle voulait sa tête : et son cœur magnanime,
S'il l'en eût refusée[9], eût pensé faire un crime.
Pour venger son honneur il perdit son amour,

---

1. *sans rendre combat :* sans te défendre, sans livrer un vrai combat.
2. *qu'on te surmonte :* qu'on l'emporte sur toi.
3. *inégalité :* inégalité d'humeur, inconstance de caractère.
4. *ravale ta vertu :* abat ton courage.
5. *défaits :* construction latine des participes : après avoir tué le Comte et défait les Mores.
6. *auprès de mon honneur :* en comparaison de mon honneur.
7. *sans hasarder sa gloire :* sans mettre en péril la haute idée qu'on a de lui.
8. *poursuivre :* chercher à obtenir par voie de justice.
9. *s'il l'en eût refusée :* s'il la lui eût refusée (on disait au XVIIe siècle refuser quelqu'un de quelque chose).

1540 Pour venger sa maîtresse[1] il a quitté le jour,
   Préférant, quelque espoir qu'eût son âme asservie[2],
   Son honneur à Chimène, et Chimène à sa vie. »
   Ainsi donc vous verrez ma mort en ce combat,
   Loin d'obscurcir ma gloire, en rehausser l'éclat ;
1545 Et cet honneur suivra mon trépas volontaire,
   Que[3] tout autre que moi n'eût pu vous satisfaire.

CHIMÈNE
   Puisque, pour t'empêcher de courir au trépas,
   Ta vie et ton honneur sont de faibles appas,
   Si jamais je t'aimai[4], cher Rodrigue, en revanche[5],
1550 Défends-toi maintenant pour m'ôter à don Sanche ;
   Combats pour m'affranchir d'une condition
   Qui me donne à l'objet de mon aversion.
   Te dirai-je encor plus ? va, songe à ta défense,
   Pour forcer mon devoir[6], pour m'imposer silence ;
1555 Et si tu sens pour moi ton cœur encore épris,
   Sors vainqueur d'un combat dont Chimène est le prix.
   Adieu : ce mot lâché[7] me fait rougir de honte.

DON RODRIGUE
   Est-il quelque ennemi qu'à présent je ne dompte ?
   Paraissez, Navarrais, Mores et Castillans,
1560 Et tout ce que l'Espagne a nourri de vaillants ;
   Unissez-vous ensemble, et faites une armée,
   Pour combattre une main de la sorte animée :
   Joignez tous vos efforts contre un espoir si doux ;
   Pour en venir à bout, c'est trop peu que de vous.

---

1. *pour venger sa maîtresse* : pour accorder à celle qu'il aime la vengeance qu'elle cherchait.
2. *asservie* : esclave (de son amour).
3. *que* : cet honneur, à savoir que ...
4. *si jamais je t'aimai* : s'il est vrai que je t'aimai.
5. *en revanche* : en retour.
6. *pour forcer mon devoir* : pour faire céder mon devoir à la force.
7. *ce mot lâché* : construction latine du participe : le fait que ce mot ait pu m'échapper.

SCÈNE 2. L'INFANTE

1565 T'écouterai-je encor, respect de ma naissance,
      Qui fais un crime de mes feux[1] ?
T'écouterai-je, amour dont la douce puissance
Contre ce fier tyran[2] fait révolter mes vœux[3] ?
      Pauvre princesse, auquel des deux[4]
1570   Dois-tu prêter obéissance ?
Rodrigue, ta valeur te rend digne de moi ;
Mais pour être vaillant[5], tu n'es pas fils de roi.

Impitoyable sort, dont la rigueur sépare
      Ma gloire d'avec mes désirs !
1575 Est-il dit que le choix d'une vertu si rare
Coûte à ma passion de si grands déplaisirs• ?
      Ô cieux ! à combien de soupirs
      Faut-il que mon cœur se prépare,
Si jamais il n'obtient sur un si long tourment[6]
1580 Ni d'éteindre l'amour, ni d'accepter l'amant !

Mais c'est trop de scrupule, et ma raison s'étonne•
      Du mépris d'un si digne choix[7] :
Bien qu'aux monarques seuls ma naissance me donne,
Rodrigue, avec honneur je vivrai sous tes lois.
1585   Après avoir vaincu deux rois,
      Pourrais-tu manquer de couronne ?
Et ce grand nom de Cid que tu viens de gagner
Ne fait-il pas trop voir sur qui tu dois régner ?

---

1. *qui fais un crime de mes feux* : qui m'impute à crime mon amour pour Rodrigue.
2. *ce fier tyran* : le respect de sa naissance royale.
3. *mes vœux* : ma volonté.
4. *auquel des deux* : le respect de son rang ou son amour pour un simple chevalier.
5. *pour être vaillant* : sens concessif : quoique tu sois vaillant.
6. *sur un si long tourment* : en l'emportant sur un si long supplice.
7. *du mépris d'un si digne choix* : de me voir mépriser quelqu'un si digne d'être choisi.

Il est digne de moi, mais il est à Chimène ;
1590   Le don que j'en ai fait me nuit.
Entre eux la mort d'un père a si peu mis de haine,
Que le devoir du sang[1] à regret le poursuit :
      Ainsi n'espérons aucun fruit
      De son crime, ni de ma peine,
1595 Puisque pour me punir le destin a permis
Que l'amour dure même entre deux ennemis.

---

1. *le devoir du sang* : le devoir de venger quelqu'un de sa famille.

Compréhension

Scène 1 :

1. Comparez cette entrevue des deux amants avec la précédente (acte III, sc. 4) ; quelles sont les similitudes ? En quoi les deux situations sont-elles différentes ?

2. Quels sont les arguments employés par Chimène pour convaincre Rodrigue de se défendre ?

3. Quels éléments décisifs cette scène apporte-t-elle au dénouement ?

Scène 2 :

4. Comment ces stances se justifient-elles sur le plan dramatique et sur le plan psychologique ?

5. Faites-en une explication littéraire suivie : mouvement de la pensée, fluctuations du sentiment, procédés oratoires, finesse psychologique.

Gérard Philipe et Sylvia Monfort au TNP, 1953.

SCÈNE 3. L'INFANTE, LÉONOR

L'INFANTE
Où viens-tu, Léonor?

LÉONOR
                    Vous applaudir, Madame,
Sur le repos qu'enfin a retrouvé votre âme.

L'INFANTE
D'où viendrait ce repos dans un comble d'ennui*?

LÉONOR
1600 Si l'amour vit d'espoir, et s'il meurt avec lui,
Rodrigue ne peut plus charmer votre courage[1].
Vous savez le combat où[2] Chimène l'engage :
Puisqu'il faut qu'il y meure, ou qu'il soit son mari,
Votre espérance est morte et votre esprit guéri.

L'INFANTE
1605 Ah! qu'il s'en faut encor!

LÉONOR
                    Que pouvez-vous prétendre[3]?

L'INFANTE
Mais plutôt quel espoir me pourrais-tu défendre?
Si Rodrigue combat sous ces conditions,
Pour en rompre l'effet*, j'ai trop d'inventions[4].
L'amour, ce doux auteur de mes cruels supplices,
1610 Aux esprits des amants apprend trop d'artifices.

LÉONOR
Pourrez-vous quelque chose, après qu'un père mort[5]
N'a pu dans leurs esprits allumer de discord[6]?
Car Chimène aisément montre par sa conduite

---

1. *charmer votre courage* : envoûter votre cœur.
2. *où* : dans lequel.
3. *prétendre* : espérer obtenir.
4. *d'inventions* : de moyens aisés à trouver.
5. *après qu'un père mort* : après que la mort d'un père (construction latine du participe).
6. *discord* : d'éloignement des cœurs, de discorde.

Que la haine aujourd'hui ne fait pas sa poursuite[1].
1615 Elle obtient un combat, et pour son combattant[2]
C'est le premier offert[3] qu'elle accepte à l'instant[4] :
Elle n'a point recours à ces mains généreuses
Que tant d'exploits fameux rendent si glorieuses ;
Don Sanche lui suffit, et mérite son choix,
1620 Parce qu'il va s'armer pour la première fois.
Elle aime en ce duel son peu d'expérience ;
Comme il est sans renom, elle est sans défiance ;
Et sa facilité[5] vous doit bien faire voir
Qu'elle cherche un combat qui force son devoir,
1625 Qui livre à son Rodrigue une victoire aisée,
Et l'autorise enfin à paraître apaisée.

L'INFANTE

Je le remarque assez, et toutefois mon cœur
À l'envi de[6] Chimène adore ce vainqueur.
À quoi me résoudrai-je, amante infortunée ?

LÉONOR

1630 À vous mieux souvenir de qui vous êtes née :
Le ciel vous doit un roi, vous aimez un sujet !

L'INFANTE

Mon inclination a bien changé d'objet.
Je n'aime plus Rodrigue, un simple gentilhomme ;
Non, ce n'est plus ainsi que mon amour le nomme :
1635 Si j'aime, c'est l'auteur de tant de beaux exploits,
C'est le valeureux Cid, le maître de deux rois.
Je me vaincrai pourtant, non de peur d'aucun blâme,
Mais pour ne troubler pas une si belle flamme ;
Et quand[7] pour m'obliger[8] on l'aurait couronné,

---

1. *ne fait pas sa poursuite* : n'est pas ce qui la pousse aux poursuites judiciaires contre Rodrigue.
2. *combattant* : chevalier servant, champion dans un duel judiciaire.
3. *le premier offert* : le premier qui s'offre.
4. *à l'instant* : sur-le-champ.
5. *sa facilité* : la rapidité de son choix.
6. *à l'envi de* : en rivalité avec.
7. *quand* : quand bien même.
8. *pour m'obliger* : pour m'être agréable, pour me satisfaire.

1640 Je ne veux point reprendre un bien que j'ai donné.
Puisqu'en un tel combat sa victoire est certaine,
Allons encore un coup[1] le donner à Chimène.
Et toi, qui vois les traits[2] dont mon cœur est percé,
Viens me voir achever comme j'ai commencé.

SCÈNE 4. CHIMÈNE, ELVIRE

CHIMÈNE
1645 Elvire, que je souffre, et que je suis à plaindre !
Je ne sais qu'espérer, et je vois tout à craindre ;
Aucun vœu ne m'échappe où[3] j'ose consentir ;
Je ne souhaite rien sans un prompt repentir.
À deux rivaux pour moi je fais prendre les armes :
1650 Le plus heureux succès* me coûtera des larmes ;
Et quoi qu'en ma faveur en ordonne le sort,
Mon père est sans vengeance, ou mon amant est mort.

ELVIRE
D'un et d'autre côté[4] je vous vois soulagée :
Ou vous avez Rodrigue, ou vous êtes vengée ;
1655 Et quoi que le destin puisse ordonner de vous,
Il soutient votre gloire[5], et vous donne un époux.

CHIMÈNE
Quoi ! l'objet de ma haine ou de tant de colère !
L'assassin de Rodrigue ou celui de mon père !
De tous les deux côtés[6] on me donne un mari
1660 Encor tout teint du sang que j'ai le plus chéri ;
De tous les deux côtés mon âme se rebelle :

---

1. *encore un coup* : encore une fois (aucune nuance de familiarité).
2. *traits* : métaphore guerrière dans le goût précieux.
3. *où* : auquel
4. *d'un et d'autre côté* : des deux côtés, d'un côté comme de l'autre.
5. *il soutient votre gloire* : vous permet de conserver l'estime générale, de garder une haute réputation.
6. *de tous les deux côtés* : des deux côtés.

Je crains plus que la mort la fin de ma querelle[1] :
Allez, vengeance, amour, qui troublez mes esprits,
Vous n'avez point pour moi de douceurs à ce prix ;
1665 Et toi, puissant moteur du destin[2] qui m'outrage,
Termine ce combat sans aucun avantage[3],
Sans faire aucun des deux ni vaincu ni vainqueur.

ELVIRE
Ce serait vous traiter avec trop de rigueur.
Ce combat pour votre âme est un nouveau supplice,
1670 S'il vous laisse obligée à demander justice,
À témoigner toujours ce haut ressentiment,
Et poursuivre toujours la mort de votre amant.
Madame, il vaut bien mieux que sa rare vaillance,
Lui couronnant le front, vous impose silence ;
1675 Que la loi du combat étouffe vos soupirs,
Et que le Roi vous force à suivre vos désirs.

CHIMÈNE
Quand il sera vainqueur, crois-tu que je me rende ?
Mon devoir est trop fort, et ma perte[4] trop grande ;
Et ce n'est pas assez pour leur faire la loi[5]
1680 Que celle du combat et le vouloir• du Roi.
Il peut vaincre don Sanche avec fort peu de peine,
Mais non pas avec lui la gloire de Chimène ;
Et quoi qu'à sa victoire un monarque ait promis[6],
Mon honneur lui fera mille autres ennemis.

ELVIRE
1685 Gardez[7], pour vous punir de cet orgueil étrange•,
Que le ciel à la fin ne souffre qu'on vous venge.
Quoi ! vous voulez encor refuser le bonheur

1. *la fin de ma querelle* : l'aboutissement de ma plainte en justice.
2. *puissant moteur du destin* : Dieu, la providence divine. La bienséance classique ne permettait pas de nommer Dieu sur scène.
3. *sans aucun avantage* : sans donner l'avantage à aucun des deux combattants.
4. *ma perte* : la perte que Chimène a faite par la mort de son père.
5. *pour leur faire la loi* : pour leur imposer silence.
6. *quoi qu'à sa victoire un monarque ait promis* : quelle que soit la promesse que lui ait faite le roi en cas de victoire.
7. *gardez* : prenez garde.

De pouvoir maintenant vous taire avec honneur?
Que prétend ce devoir, et qu'est-ce qu'il espère?
1690 La mort de votre amant vous rendra-t-elle un père?
Est-ce trop peu pour vous que d'un coup[1] de malheur?
Faut-il perte sur perte, et douleur sur douleur?
Allez, dans le caprice[2] où votre humeur s'obstine,
Vous ne méritez pas l'amant qu'on vous destine;
1695 Et nous verrons du ciel l'équitable courroux
Vous laisser, par sa mort, don Sanche pour époux.

CHIMÈNE

Elvire, c'est assez des peines que j'endure,
Ne les redouble point de ce funeste augure.
Je veux, si je le puis, les éviter tous deux:
1700 Sinon, en ce combat Rodrigue a tous mes vœux:
Non qu'une folle ardeur de son côté me penche;
Mais s'il était vaincu, je serais à don Sanche;
Cette appréhension fait naître mon souhait.
Que vois-je, malheureuse? Elvire, c'en est fait.

---

1. *que d'un coup* : qu'un coup.
2. *caprice* : attitude bizarre, fantasque, déraisonnable.

Questions

Compréhension

Scènes 3, 4 :

1. *Y a-t-il eu une évolution des sentiments de l'Infante au cours de la pièce ? Le « don » qu'elle fait à Rodrigue aux v. 1637-1644 est-il totalement sincère ?*

2. *Analysez les sentiments de Chimène dans la scène 4.*

3. *Quelle est l'utilité dramatique des scènes 3 et 4 ?*

Charlton Heston et Sophia Loren dans *Le Cid* d'Antony Mann, 1961.

SCÈNE 5. Don Sanche, Chimène, Elvire

Don Sanche
1705 Obligé d'apporter à vos pieds cette épée...

Chimène
Quoi? du sang de Rodrigue encor toute trempée?
Perfide°, oses-tu bien te montrer à mes yeux,
Après m'avoir ôté ce que j'aimais le mieux?
Éclate, mon amour, tu n'as plus rien à craindre :
1710 Mon père est satisfait, cesse de te contraindre.
Un même coup a mis ma gloire en sûreté,
Mon âme au désespoir, ma flamme en liberté[1].

Don Sanche
D'un esprit plus rassis[2]...

Chimène
Tu me parles encore,
Exécrable assassin d'un héros que j'adore?
1715 Va, tu l'as pris en traître; un guerrier si vaillant
N'eût jamais succombé sous un tel assaillant.
N'espère rien de moi, tu ne m'as point servie :
En croyant me venger, tu m'as ôté la vie.

Don Sanche
Étrange impression[3], qui loin de m'écouter...

Chimène
1720 Veux-tu que de sa mort je t'écoute vanter[4],
Que j'entende à loisir avec quelle insolence
Tu peindras son malheur, mon crime et ta vaillance?

---

1. *ma flamme en liberté* : mon amour en liberté (de s'exprimer).
2. *plus rassis* : plus calme, moins emporté.
3. *étrange impression* : réaction extraordinaire.
4. *vanter* : te vanter.

SCÈNE 6. DON FERNAND, DON DIÈGUE, DON ARIAS, DON SANCHE, DON ALONSE, CHIMÈNE, ELVIRE

CHIMÈNE

Sire, il n'est plus besoin de vous dissimuler
Ce que tous mes efforts ne vous ont pu celer*.
1725 J'aimais, vous l'avez su ; mais pour venger mon père,
J'ai bien voulu* proscrire[1] une tête si chère :
Votre Majesté, Sire, elle-même a pu voir
Comme[2] j'ai fait céder mon amour au devoir.
Enfin Rodrigue est mort, et sa mort m'a changée
1730 D'implacable ennemie en amante affligée.
J'ai dû cette vengeance à qui[3] m'a mise au jour,
Et je dois maintenant ces pleurs à mon amour.
Don Sanche m'a perdue en prenant ma défense,
Et du bras qui me perd je suis la récompense !
1735 Sire, si la pitié peut émouvoir un roi,
De grâce, révoquez une si dure loi ;
Pour prix d'une victoire où je perds ce que j'aime,
Je lui laisse mon bien ; qu'il me laisse à moi-même ;
Qu'en un cloître sacré je pleure incessamment*,
1740 Jusqu'au dernier soupir, mon père et mon amant.

DON DIÈGUE

Enfin, elle aime, Sire, et ne croit plus un crime
D'avouer par sa bouche un amour légitime.

DON FERNAND

Chimène, sors d'erreur, ton amant n'est pas mort,
Et don Sanche vaincu t'a fait un faux rapport.

DON SANCHE

1745 Sire, un peu trop d'ardeur[4] malgré moi l'a déçue* :
Je venais du combat lui raconter l'issue.

---

1. *proscrire* : au sens large de mettre à prix.
2. *comme* : comment, combien.
3. *à qui* : à celui qui.
4. *d'ardeur* : d'emportement (de la part de Chimène).

Ce généreux guerrier[1] dont son cœur est charmé :
« Ne crains rien, m'a-t-il dit, quand il m'a désarmé ;
Je laisserais plutôt la victoire incertaine,
1750 Que de répandre un sang hasardé* pour Chimène ;
Mais puisque mon devoir m'appelle auprès du Roi,
Va de notre combat l'entretenir[2] pour moi,
De la part du vainqueur lui porter ton épée. »
Sire, j'y suis venu : cet objet* l'a trompée ;
1755 Elle m'a cru vainqueur, me voyant de retour,
Et soudain sa colère a trahi son amour
Avec tant de transport et tant d'impatience,
Que je n'ai pu gagner un moment d'audience[3].
Pour moi, bien que vaincu, je me répute[4] heureux ;
1760 Et malgré l'intérêt de mon cœur amoureux,
Perdant infiniment, j'aime encor ma défaite,
Qui fait le beau succès[5] d'une amour[6] si parfaite.

DON FERNAND

Ma fille, il ne faut point rougir d'un si beau feu,
Ni chercher les moyens d'en faire un désaveu.
1765 Une louable honte en vain t'en sollicite[7].
Ta gloire est dégagée et ton honneur est quitte ;
Ton père est satisfait, et c'était le venger
Que mettre tant de fois ton Rodrigue en danger.
Tu vois comme le ciel autrement en dispose.
1770 Ayant tant fait pour lui[8], fais pour toi quelque chose,
Et ne sois point rebelle à mon commandement,
Qui te donne un époux aimé si chèrement.

---

1. *guerrier* : sujet du verbe *m'a-t-il dit*, construit en incise au vers suivant (latinisme).
2. *l'entretenir* : lui parler, lui porter la nouvelle (à Chimène).
3. *gagner un moment d'audience* : me faire écouter un seul instant.
4. *je me répute* : je m'estime.
5. *le beau succès* : l'issue heureuse.
6. *d'une amour* : le mot était indifféremment masculin ou féminin au singulier dans la langue classique ; il est resté aujourd'hui encore féminin au pluriel.
7. *t'en sollicite* : t'en presse, t'y pousse.
8. *pour lui* : pour ton père.

SCÈNE 7. Don Fernand, Don Diègue, Don Arias,
Don Rodrigue, Don Alonse, Don Sanche, L'Infante,
Chimène, Léonor, Elvire

L'Infante
　　Sèche tes pleurs, Chimène, et reçois sans tristesse
　　Ce généreux vainqueur des mains de ta princesse.

Don Rodrigue
1775 Ne vous offensez point, Sire, si devant vous
　　Un respect amoureux me jette à ses genoux.
　　Je ne viens point ici demander ma conquête :
　　Je viens tout de nouveau[1] vous apporter ma tête,
　　Madame ; mon amour n'emploiera point pour moi
1780 Ni la loi du combat, ni le vouloir• du Roi.
　　Si tout ce qui s'est fait est trop peu pour un père[2],
　　Dites par quels moyens il vous faut satisfaire.
　　Faut-il combattre encor mille et mille rivaux,
　　Aux deux bouts de la terre étendre mes travaux,
1785 Forcer moi seul un camp, mettre en fuite une armée,
　　Des héros fabuleux• passer• la renommée ?
　　Si mon crime par là se peut enfin laver,
　　J'ose tout entreprendre, et puis tout achever ;
　　Mais si ce fier honneur, toujours inexorable,
1790 Ne se peut apaiser sans la mort du coupable,
　　N'armez plus contre moi le pouvoir des humains :
　　Ma tête est à vos pieds, vengez-vous par vos mains ;
　　Vos mains seules ont droit de vaincre un invincible ;
　　Prenez une vengeance à tout autre impossible,
1795 Mais du moins que ma mort suffise à me punir :
　　Ne me bannissez point de votre souvenir ;
　　Et puisque mon trépas conserve votre gloire,
　　Pour vous en revancher[3] conservez ma mémoire,
　　Et dites quelquefois, en déplorant mon sort :
1800 « S'il ne m'avait aimée, il ne serait pas mort. »

1.　*tout de nouveau* : de nouveau.
2.　*pour un père* : en réparation du meurtre d'un père.
3.　*pour vous en revancher* : pour me rendre la pareille, en contrepartie.

CHIMÈNE

Relève-toi, Rodrigue. Il faut l'avouer, Sire,
Je vous en ai trop dit pour m'en pouvoir dédire.
Rodrigue a des vertus que je ne puis haïr ;
Et quand un roi commande, on lui doit obéir.
1805 Mais à quoi que déjà vous m'ayez condamnée[1],
Pourrez-vous à vos yeux souffrir cet hyménée ?
Et quand de mon devoir vous voulez cet effort,
Toute votre justice en[2] est-elle d'accord ?
Si Rodrigue à l'État devient si nécessaire,
1810 De ce qu'il fait pour vous dois-je être le salaire,
Et me livrer moi-même au reproche éternel
D'avoir trempé mes mains dans le sang paternel ?

DON FERNAND

Le temps assez souvent a rendu légitime
Ce qui semblait d'abord ne se pouvoir[3] sans crime :
1815 Rodrigue t'a gagnée, et tu dois être à lui.
Mais quoique sa valeur t'ait conquise aujourd'hui,
Il faudrait que je fusse ennemi de ta gloire
Pour lui donner sitôt le prix de sa victoire.
Cet hymen différé ne rompt point une loi
1820 Qui sans marquer de temps lui destine ta foi[4].
Prends un an, si tu veux, pour essuyer tes larmes.
Rodrigue, cependant, il faut prendre les armes.
Après avoir vaincu les Mores sur nos bords,
Renversé leurs desseins, repoussé leurs efforts,
1825 Va jusqu'en leur pays leur reporter la guerre,
Commander mon armée, et ravager leur terre :
À ce nom seul de Cid ils trembleront d'effroi ;
Ils t'ont nommé seigneur, et te voudront pour roi.
Mais parmi tes hauts faits sois-lui[5] toujours fidèle :
1830 Reviens-en, s'il se peut, encor plus digne d'elle ;

---

1. *condamnée* : quelle que soit la loi que vous m'ayez imposée (d'épouser le vainqueur du duel judiciaire).
2. *en* : sur cela.
3. *ne se pouvoir* : n'être pas possible.
4. *lui destine ta foi* : ta foi conjugale, te donne à lui en mariage.
5. *sois-lui toujours fidèle* : à Chimène.

Et par tes grands exploits fais-toi si bien priser[1],
Qu'il lui soit glorieux alors de t'épouser.

DON RODRIGUE

Pour posséder Chimène, et pour votre service,
Que peut-on m'ordonner que mon bras n'accomplisse ?
1835 Quoi qu'absent[2] de ses yeux il me faille endurer,
Sire, ce m'est trop d'heur* de pouvoir espérer.

DON FERNAND

Espère en ton courage, espère en ma promesse ;
Et possédant déjà le cœur de ta maîtresse,
Pour vaincre un point d'honneur qui combat contre toi,
1840 Laisse faire le temps, ta vaillance et ton roi.

---

1. *si bien priser* : tant estimer.
2. *absent de* : loin de.

Compréhension

Scènes 5, 6 :

1. *Vous paraît-il vraisemblable que l'erreur de Chimène dure aussi longtemps ?*

2. *En quoi son attitude facilite-t-elle le dénouement ?*

3. *Quel jugement final portez-vous sur le personnage de don Sanche ?*

Scène 7 :

4. *Pourquoi Rodrigue offre-t-il une nouvelle fois sa tête à Chimène ? Analysez sa tirade (v. 1775-1812).*

5. *Quelle est la réaction de Chimène ? Quelle évolution montre-t-elle ?*

6. *Ce dénouement est-il heureux ? Choque-t-il les bienséances ? Reportez-vous à ce qu'en dit Corneille dans son* Examen *(p. 139).*

Mise en scène

Scène 7 :

7. *Imaginez, à partir des mêmes événements, un dénouement différent.*

DATES	ÉVÉNEMENTS HISTORIQUES	VIE ET ŒUVRE DE CORNEILLE
1606		Naissance à Rouen. • **La période de formation**
1610	Mort d'Henri IV et régence de Marie de Médicis.	
1615		Entre au collège des jésuites.
1624	**Richelieu devient premier ministre** de Louis XIII.	Avocat stagiaire au parlement de Rouen.
1628		
1629		• **Premiers succès** Succès encourageant de sa pre- mière comédie, Mélite.
1630- 1636		Il pratique avec succès la comédie, la tragi-comédie et la tragédie.
1632	Révolte et exécution de Montmorency.	
1635	La France entre en guerre contre l'Espagne.	
1637		• **La célébrité** Immense succès et querelle du Cid.
1638	Naissance de Louis XIV.	
1640		Horace, tragédie.
1641	Échec du complot de Soissons.	Il se marie et fréquente l'Hôtel de Rambouillet.
1642	Complot et exécution de De Thou et de Cinq-Mars. Mort de Richelieu ; **ministère de Mazarin.**	Cinna et Polyeucte, tragédies.
1643	Mort de Louis XIII et **régence d'Anne d'Autriche.**	Il reçoit une pension ; La Mort de Pompée, tragédie ; Le Menteur, comédie.
1644		La Suite du Menteur.
1645		Rodogune, tragédie.
1647		Il est élu à l'Académie. Héraclius, tragédie.
1648	**La Fronde** (soulèvement des parlements, puis des Princes contre Mazarin).	
1650		Andromède et Don Sanche d'Aragon.
1651		Succès de Nicomède ; échec de Pertharite. • **Éloignement de la scène**
1652		Traduction en vers de l'Imitation de Jésus-Christ.
1653	La Fronde est vaincue : triomphe de l'absolutisme royal. Fouquet surintendant des Finances.	

ÉVÉNEMENTS LITTÉRAIRES	VIE INTELLECTUELLE, RELIGIEUSE ET ARTISTIQUE	DATES
Début de la publication de l'*Astrée*, roman pastoral d'Honoré d'Urfé.		1607
	Saint François de Sales : *Introduction à la vie dévote*.	1608
		1615
Pyrame et Thisbé, tragédie de Théophile de Viau.		1617
Guillén de Castro : *Las Mocedades del Cid*.		1618
Guez de Balzac : *Lettres*.		1624
	Période la plus brillante de l'**Hôtel de Rambouillet.**	1625-1648
Mort de Malherbe.	Harvey prouve la circulation du sang.	1628
	Renaudot fonde la *Gazette*.	1631
	Rembrandt : *La Leçon d'anatomie*.	1632
Mairet : *Sophonisbe*, tragédie.		1634
Fondation de l'Académie française par Richelieu.		1635
	Descartes : *Discours de la méthode*. Calderón : *La Vie est un songe*.	1637
	Mort de Rubens. L'*Augustinus* de Jansénius.	1640
La Guirlande de Julie à l'Hôtel de Rambouillet.		1641
	Naissance de Newton.	1642
	Arrivée de Lulli à Paris. Torricelli invente le baromètre.	1643
Échec de Molière à Paris ; il part avec sa troupe en province.	Mansart commence le Val-de-Grâce.	1645
	Expériences de Pascal sur le vide.	1647
Mort de Voiture.	Fondation de l'Académie de peinture et de sculpture.	1648
	Descartes : *Traité des passions*.	1649
Mort de Rotrou.	Mort de Descartes.	1650
Le Roman comique de Scarron.		1651-

DATES	ÉVÉNEMENTS HISTORIQUES	VIE ET ŒUVRE DE CORNEILLE
1656-1657 1656-1659 1657		
1659	**Paix avec l'Espagne** (traité des Pyrénées).	• **Retour au théâtre** Succès d'*Œdipe*, tragédie.
1660		Première édition collective de son théâtre. *Trois discours sur le poème dramatique*.
1661	Mort de Mazarin : début du **gouvernement personnel de Louis XIV**.	
1661-1672		
1662		Il s'installe à Paris. Succès de *Sertorius*.
1663		Échec de *Sophonisbe*.
1664	Condamnation de Fouquet.	Échec d'*Othon*.
1665		
1666	Mort d'Anne d'Autriche.	Brouille avec Racine.
1666-1667 1667		Échec d'*Agésilas* et d'*Attila*, tragédies.
1667-1668	Guerre de Dévolution : conquête de la Flandre.	
1669		
1670		*Tite et Bénénice*, tragédie.
1672		
1672-1678	**Guerre de Hollande :** passage du Rhin et conquête de la Hollande.	
1673		
1674		Échec de *Suréna*, tragédie.
1675		• **Les dernières années** Il abandonne définitivement le théâtre.
1676		Six de ses tragédies sont représentées à Versailles devant la Cour.
1677		
1678	Paix de Nimègue : suprématie française en Europe.	
1682		Dernière édition collective de son théâtre parue de son vivant.
1683	Mort de la reine Marie-Thérèse et de Colbert.	
1684		Mort à Paris.

ÉVÉNEMENTS LITTÉRAIRES	VIE INTELLECTUELLE, RELIGIEUSE ET ARTISTIQUE	DATES
Les Provinciales de Pascal.		1656-1657
	Construction par Le Vau du château de Vaux-le-Vicomte.	1656-1659
La Pratique du théâtre de l'abbé d'Aubignac ; immense succès du *Timocrate* de son frère Thomas.		1657
Les Précieuses ridicules de Molière.		1659
	Mort de Velasquez.	1660
		1661
	Agrandissement et aménagement de Versailles (Le Vau, J. Hardouin Mansart, Le Brun, Le Nôtre).	1661-1672
Molière : triomphe de *L'École des Femmes*.		1662
		1663
		1664
Maximes de La Rochefoucauld ; Molière : *Don Juan*.	Mort de Poussin ; fondation du *Journal des Savants*.	1665
Molière : *Le Misanthrope* ; Boileau : *Satires* I à VII.	Fondation de l'Académie des Sciences.	1666
		1666-1667
Racine : *Andromaque*.		1667
		1667-1668
Premier recueil des *Fables* de La Fontaine ; Molière : *L'Avare*.		1668
Racine : *Britannicus* ; triomphe du *Tartuffe* de Molière.	Mort de Rembrandt.	1669
Racine : *Bérénice*.		1670
Racine : *Bajazet* ; Molière : *Les Femmes savantes*.	Donneau de Visé fonde *Le Mercure galant*.	1672
		1672
		1678
Mort de Molière.		1673
Racine : *Iphigénie*, Boileau : *Art poétique*.	Perrault achève la colonnade du Louvre.	1674
	Mort de Philippe de Champaigne. Achèvement des Invalides.	1675
		1676
Cabale de *Phèdre*.		1677
Mme de La Fayette : *La Princesse de Clèves* ; second recueil des *Fables* de La Fontaine.		1678
Bayle : *Pensées sur la comète*.	Newton formule la loi de l'attraction universelle.	1682
		1683
		1684

LA CONDITION PRÉCAIRE DE L'AUTEUR DRAMATIQUE

La situation matérielle de l'écrivain reste fragile et incertaine au XVIIe siècle : aucun homme de lettres, quels que soient son génie et ses succès, ne peut alors vivre exclusivement de sa plume. En effet, la notion de « propriété littéraire » est encore floue, les droits d'auteur très modiques, et même s'il s'est entouré de toutes les garanties en prenant un « privilège », c'est-à-dire un droit exclusif de publication, l'écrivain n'a aucun moyen d'empêcher les contrefaçons ou publications clandestines de son œuvre. L'usage le plus fréquent est que les dramaturges vendent leur pièce contre une somme fixe à la troupe qui veut bien la monter ; celle-ci en détient alors l'exclusivité tant que durent les représentations ; c'est seulement lorsque les comédiens renoncent à la jouer que l'auteur peut la livrer à l'impression, la faisant ainsi tomber dans le domaine public. La rétribution de l'auteur de théâtre est si peu sûre qu'il est parfois obligé, pour s'assurer une subsistance régulière, de s'attacher par contrat à une troupe dont il devient le fournisseur attitré : ainsi Rotrou à l'Hôtel de Bourgogne ; et les écrivains sont si peu considérés que jusque vers 1635 leurs noms ne paraissent même pas à la suite des titres des pièces sur les affiches qui en annoncent la représentation : Corneille est justement l'un de ceux qui luttèrent pour relever le prestige des auteurs.

Tout cela explique qu'un écrivain cherchait toujours à solliciter la générosité d'un grand en lui dédicaçant son œuvre. C'est ce que fait Corneille, après le triomphe de sa pièce, en en faisant l'hommage à une nièce du cardinal de Richelieu, madame de Combalet, future duchesse d'Aiguillon :

Dédicace de la première édition (1637)
●

À Madame de Combalet

MADAME,

Ce portrait vivant que je vous offre représente un héros assez reconnaissable aux lauriers dont il est couvert. Sa vie a été une suite continuelle de victoires ; son corps, porté dans son armée, a gagné des batailles après sa mort[1] et son nom, au bout de six cents ans[2], vient encore de triompher en France. Il y a trouvé une réception trop favorable pour se repentir d'être sorti de son pays et d'avoir appris à parler une autre langue que la sienne. Ce succès a passé[3] mes plus ambitieuses espérances, et m'a surpris d'abord ; mais il a cessé de m'étonner depuis que j'ai vu la satisfaction que vous avez témoignée quand il a paru devant vous. Alors j'ai osé me promettre de lui tout ce qui en est arrivé, et j'ai cru qu'après les éloges dont vous l'avez honoré, cet applaudissement universel ne lui pouvait manquer. Et véritablement, Madame, on ne peut douter avec raison de ce que vaut une chose qui a le bonheur de vous plaire : le jugement que vous en faites est la marque assurée de son prix et comme vous donnez toujours libéralement aux véritables beautés l'estime qu'elles méritent, les fausses n'ont jamais le pouvoir de vous éblouir. Mais votre générosité ne s'arrête pas à des louanges stériles pour les ouvrages qui vous agréent ; elle prend plaisir à s'étendre utilement sur ceux qui les produisent, et ne dédaigne point d'employer en leur faveur ce grand crédit que votre qualité[4] et vos vertus vous ont acquis. J'en ai ressenti des effets qui me sont trop avantageux pour m'en taire, et je ne vous dois pas moins de remerciements pour moi que pour Le Cid. C'est une reconnaissance qui m'est glorieuse[5] puisqu'il m'est impossible de publier que je vous ai de grandes obligations, sans publier en même temps que vous m'avez assez estimé pour vouloir que je vous en eusse[6]. Aussi, Madame, si je souhaite quelque durée pour cet heureux effort de ma plume, ce n'est point pour apprendre mon nom à la postérité, mais seulement pour laisser des marques éternelles de ce que je vous dois, et faire lire à ceux qui naîtront dans les autres siècles la protestation que je fais d'être toute ma vie,

MADAME,

> *Votre très humble, très obéissant et très obligé serviteur,*
> CORNEILLE.

---

1. Pour repousser les Mores qui assiégeaient Valence, les Espagnols attachèrent sur son cheval le Cid qui venait de mourir et tentèrent une sortie. Les assiégeants s'enfuirent épouvantés.
2. Le Cid – don Ruy Diaz de Bivar – vécut de 1043 environ à 1099.
3. surpassé.
4. noblesse.
5. qui augmente ma gloire.
6. de grandes obligations.

LA SCÈNE DU MARAIS

Le Cid a été créé, comme toutes les pièces précédentes de Corneille, par la troupe du théâtre du Marais. Celle-ci occupait depuis quelques années un ancien jeu de paume aménagé ; le public populaire restait debout, au parterre ; les loges ou galeries étaient louées aux femmes et aux spectateurs aisés ; les places les plus chères se trouvaient sur la scène elle-même, où l'on disposait des rangées de chaises de part et d'autre de l'espace (par là même restreint) réservé aux acteurs.

Les représentations commençaient ordinairement vers cinq heures de l'après-midi, devant un public agité et bruyant (voyez l'atmosphère de l'Hôtel de Bourgogne dans le *Cyrano de Bergerac* d'Edmond Rostand). On lève le rideau au début de la pièce, mais on ne le baisse pas pendant les entractes (signalés seulement par la musique des violons). La scène elle-même est très médiocre : aucune architecture, mais un décor

Le Cid, tel qu'on le jouait au temps de Corneille, à l'Hôtel du Marais (1907)

multiple à compartiments hérité du Moyen Âge. Il suffit d'un accessoire pour indiquer où l'on est : dans la rue, au palais royal, dans un appartement privé, etc. Nous ne savons pas ce qu'était la mise en scène originale du *Cid* en 1637 ; mais il y a au moins quatre lieux différents : l'appartement de l'Infante, la « chambre du Roi » où se tiennent don Fernand et sa Cour, la maison de Chimène, enfin une place ou une rue de Séville, qui occupe peut-être l'avant-scène. L'exiguïté de ces compartiments oblige les acteurs à jouer sur l'avant-scène lorsqu'ils sont trop nombreux pour pouvoir s'y tenir, et le public s'y est parfois trompé. Une autre conséquence de cette exiguïté est d'entraîner parfois des invraisemblances ; ainsi dans les scènes 4 à 6 de l'acte I : le Comte et don Diègue se querellent en sortant du Conseil du Roi ; il est déjà peu vraisemblable qu'ils le fassent dans la rue, il l'est encore moins que don Diègue y prononce son monologue et Rodrigue ses stances, comme les contemporains l'ont fort bien observé.

EXAMEN DU CID PAR CORNEILLE (1660)[1]

*Ce poème a tant d'avantages du côté du sujet et des pensées brillantes dont il est semé que la plupart de ses auditeurs n'ont pas voulu voir les défauts de sa conduite[2] et ont laissé enlever leurs suffrages au plaisir que leur a donné sa représentation. Bien que ce soit celui de tous mes ouvrages réguliers où je me suis permis le plus de licence, il passe encore pour le plus beau auprès de ceux qui ne s'attachent pas à la dernière sévérité des règles[3] ; et depuis cinquante ans[4] qu'il tient sa place sur nos théâtres, l'histoire ni l'effort de l'imagination n'y ont rien fait voir qui en aie[5] effacé l'éclat. Aussi[6] a-t-il les deux grandes conditions que demande **Aristote** aux tragédies parfaites[7], et dont l'assemblage se rencontre si rarement chez les anciens et chez les modernes ; il les assemble même plus fortement et plus noblement*

1. *1660* : date du texte accompagnant la première édition collective du théâtre de Corneille. Le texte que nous donnons ici est celui de la dernière édition publiée du vivant du poète, en 1682.
2. *sa conduite* : la manière dont l'action est conduite.
3. *à la dernière sévérité des règles* : qui n'ont pas pour les règles un respect scrupuleux et ne les envisagent pas dans leur grande rigueur.
4. *cinquante ans* : exactement quarante-cinq, puisque cette dernière version de l'*Examen* est de 1682.
5. *aie* : ancienne forme de la troisième personne du singulier, conforme à l'étymologie.
6. *aussi* : sens causal : aussi bien, en effet.
7. *parfaites* : ces deux conditions sont le vraisemblable et le nécessaire.

que les espèces[8] que pose ce philosophe. Une maîtresse que son devoir force à poursuivre la mort de son amant, qu'elle tremble d'obtenir, a les passions plus vives et plus allumées que tout ce qui peut se passer entre un mari et sa femme, une mère et son fils, un frère et sa sœur ; et la haute vertu dans un naturel sensible à ces passions, qu'elle dompte sans les affaiblir, et à qui elle laisse toute leur force pour en triompher plus glorieusement, a quelque chose de plus touchant, de plus élevé et de plus aimable[9] que cette médiocre bonté, capable d'une faiblesse, et même d'un crime, où nos anciens étaient contraints d'arrêter le caractère le plus parfait des rois et des princes dont ils faisaient leurs héros, afin que ces taches et ces forfaits, défigurant ce qu'ils leur laissaient de vertu, s'accommodassent au goût et aux souhaits de leurs spectateurs, et fortifiassent l'horreur qu'ils avaient conçue de leur domination et de la monarchie.

Rodrigue suit ici son devoir sans rien relâcher de sa passion, **Chimène** fait la même chose, à son tour, sans laisser ébranler son dessein par la douleur où elle se voit abîmée[10] par là ; et si la présence de son amant lui fait faire quelques faux pas, c'est une glissade dont elle se relève à l'heure même ; et non seulement elle connaît si bien sa faute qu'elle nous en avertit, mais elle fait un prompt désaveu de tout ce qu'une vue si chère lui a pu arracher. Il n'est point besoin qu'on lui reproche qu'il lui est honteux de souffrir l'entretien de son amant après qu'il a tué son père ; elle avoue que c'est la seule prise que la médisance aura sur elle. Si elle s'emporte jusqu'à lui dire qu'elle veut bien[11] qu'on sache qu'elle l'adore et le poursuit, ce n'est point une résolution si ferme qu'elle l'empêche de cacher son amour de tout son possible lorsqu'elle est en la présence du Roi. S'il lui échappe de l'encourager au combat contre don Sanche par ces paroles :

Sors vainqueur d'un combat dont Chimène est le prix,

elle ne se contente pas de s'enfuir de honte au même moment ; mais sitôt qu'elle est avec Elvire, à qui elle ne déguise rien de ce qui se passe dans son âme, et que la vue de ce cher objet[12] ne lui fait plus de violence, elle forme un souhait plus raisonnable, qui satisfait sa vertu et son amour tout ensemble, et demande au Ciel que le combat se termine

8. *espèces* : exemples.
9. *aimable* : au sens fort : attachant, digne d'être aimé.
10. *abîmée* : plongée.
11. *qu'elle veut bien* : qu'elle entend (expression d'une volonté délibérée et non d'une concession).
12. *cher objet* : personne aimée (vocabulaire galant).

Sans faire aucun des deux ni vaincu ni vainqueur.

Si elle ne dissimule point qu'elle penche du côté de Rodrigue, de peur d'être à don Sanche, pour qui elle a de l'aversion, cela ne détruit point la protestation, qu'elle a faite un peu auparavant, que malgré la loi de ce combat, et les promesses que le Roi a faites à Rodrigue, elle lui fera mille autres ennemis, s'il en sort victorieux. Ce grand éclat même qu'elle laisse faire à son amour après qu'elle le croit mort, est suivi d'une opposition vigoureuse à l'exécution de cette loi qui la donne à son amant, et elle ne se tait qu'après que le Roi l'a différée, et lui a laissé lieu d'espérer qu'avec le temps il y pourra survenir quelque obstacle. Je sais bien que le silence passe d'ordinaire pour une marque de consentement ; mais quand les rois parlent, c'en est une de contradiction : on ne manque jamais à leur applaudir quand on entre dans leurs sentiments, et le seul moyen de leur contredire avec le respect qui leur est dû, c'est de se taire, quand leurs ordres ne sont pas si pressants qu'on ne puisse remettre à s'excuser de leur obéir[13] lorsque le temps en sera venu, et conserver cependant une espérance légitime d'un empêchement, qu'on ne peut encore déterminément[14] prévoir.

Il est vrai que dans ce sujet il faut se contenter de tirer Rodrigue de péril, sans le pousser jusqu'à son mariage avec Chimène. Il est historique et a plu en son temps ; mais bien sûrement il déplairait au nôtre ; et j'ai peine à voir que Chimène y consente chez l'auteur espagnol, bien qu'il donne plus de trois ans de durée à la comédie qu'il en a faite. Pour ne pas contredire l'histoire, j'ai cru ne me pouvoir dispenser d'en jeter quelque idée, mais avec incertitude de l'effet[15] ; et ce n'était que par là que je pouvais accorder la bienséance du théâtre avec la vérité de l'événement.

Les deux **visites que Rodrigue fait à sa maîtresse** *ont quelque chose qui choque cette bienséance de la part de celle qui les souffre ; la rigueur du devoir voulait qu'elle refusât de lui parler et s'enfermât dans son cabinet, au lieu de l'écouter ; mais permettez-moi de dire, avec un des premiers esprits de notre siècle[16], « que leur conversation est remplie de si beaux sentiments, que plusieurs n'ont pas connu[17] ce défaut, et que ceux qui l'ont connu l'ont toléré ». J'irai*

---

13. *remettre à s'excuser de leur obéir* : remettre à plus tard de leur obéir, en s'en excusant.
14. *déterminément* : de façon précise.
15. *avec incertitude de l'effet* : sur sa réalisation effective.
16. *un des premiers esprits de notre siècle* : l'abbé d'Aubignac dans sa *Pratique du théâtre* (1657).
17. *connu* : remarqué.

plus outre[18], et dirai que tous presque ont souhaité que ces entretiens se fissent ; et j'ai remarqué aux premières représentations qu'alors que ce malheureux amant se présentait devant elle, il s'élevait un certain frémissement dans l'assemblée, qui marquait une curiosité merveilleuse et un redoublement d'attention pour ce qu'ils avaient à se dire dans un état si pitoyable. Aristote dit qu'il y a des absurdités qu'il faut laisser dans un poème, quand on peut espérer qu'elles seront bien reçues ; et il est du devoir du poète, en ce cas, de les couvrir de tant de brillants qu'elles puissent éblouir. Je laisse au jugement de mes auditeurs si[19] je me suis assez bien acquitté de ce devoir pour justifier par là ces deux scènes. Les pensées de la première des deux sont quelquefois trop spirituelles pour partir de personnes fort affligées ; mais outre que je n'ai fait que la paraphraser de l'espagnol, si nous ne nous permettions quelque chose de plus ingénieux que le cours ordinaire de la passion, nos poèmes ramperaient souvent, et les grandes douleurs ne mettraient dans la bouche de nos acteurs que des exclamations et des hélas. Pour ne déguiser rien, cette offre que fait Rodrigue de son épée à Chimène, et cette protestation de se laisser tuer par don Sanche, ne me plairaient pas maintenant[20]. Ces beautés étaient de mise en ce temps-là et ne le seraient plus en celui-ci. La première est dans l'original espagnol, et l'autre est tirée[21] sur ce modèle. Toutes les deux ont fait leur effet en ma faveur ; mais je ferais scrupule d'en étaler de pareilles à l'avenir sur notre théâtre.

J'ai dit ailleurs[22] ma pensée touchant l'Infante et **le Roi** ; il reste néanmoins quelque chose à examiner sur la manière dont ce dernier agit, qui ne paraît pas assez vigoureuse, en ce qu'il ne fait pas arrêter le Comte après le soufflet donné, et n'envoie pas des gardes à don Diègue et à son fils. Sur quoi on peut considérer que don Fernand étant le premier roi de Castille, et ceux qui en avaient été maîtres auparavant[23] lui n'ayant eu titre que de comtes, il n'était peut-

18. *plus outre* : plus loin.
19. *si* : de décider si.
20. *maintenant* : c'est-à-dire en 1660. Corneille perçoit parfaitement l'évolution de la sensibilité et du goût depuis l'époque, encore baroque, du *Cid*.
21. *est tirée* : est tracée.
22. *ailleurs* : dans son *Discours sur le poème dramatique*, publié également en 1660.
23. *auparavant* : avant (confusion encore fréquente à l'époque entre l'adverbe et la préposition).

Frontispice du *Cid*, édition de 1660, gravure de H. David.

être pas assez absolu sur les grands seigneurs de son royaume pour le pouvoir faire. Chez don Guillem de Castro, qui a traité ce sujet avant moi, et qui devait mieux connaître que moi quelle était l'autorité de ce premier monarque de son pays, le soufflet se donne en sa présence et en celle de deux ministres d'État, qui lui conseillent, après que le Comte s'est retiré fièrement et avec bravade[24], et que don Diègue a fait la même chose en soupirant, de ne le pousser point à bout, parce qu'il a quantité d'amis dans les Asturies, qui se pourraient révolter et prendre parti[25] avec les Mores dont son État est environné. Ainsi il se résout d'accommoder[26] l'affaire sans bruit et recommande le secret à ces deux ministres, qui ont été seuls témoins de l'action. C'est sur cet exemple que je me suis cru bien fondé à le faire agir plus mollement qu'on ne ferait en ce temps-ci, où l'autorité royale est plus absolue. Je ne pense pas non plus qu'il fasse une faute bien grande de ne jeter point l'alarme de nuit dans sa ville, sur l'avis incertain qu'il a du dessein des Mores, puisqu'on faisait bonne garde sur les murs et sur le port ; mais il est inexcusable de n'y donner aucun ordre[27] après leur arrivée et de laisser tout faire à Rodrigue. La loi du combat[28] qu'il propose à Chimène, avant que de le permettre à don Sanche contre Rodrigue, n'est pas si injuste que quelques-uns ont voulu le dire, parce qu'elle est plutôt une menace pour la faire dédire de la demande de ce combat qu'un arrêt qu'il lui veuille faire exécuter. Cela paraît en ce qu'après la victoire de Rodrigue il n'en exige pas précisément l'effet[29] de sa parole et la laisse en état d'espérer que cette condition n'aura point de lieu[30].

Je ne puis dénier que la **règle des vingt et quatre heures** presse trop les incidents de cette pièce. La mort du Comte et l'arrivée des Mores s'y pouvaient entre-suivre d'aussi près qu'elles font, parce que cette arrivée est une surprise qui n'a point de communication[31] ni de mesures à prendre avec le reste ; mais il n'en va pas ainsi du combat de don Sanche, dont le Roi était le maître, et pouvait lui choisir un autre temps que deux heures après la fuite des Mores. Leur défaite avait assez fatigué Rodrigue toute la nuit pour mériter deux ou trois jours de repos, et même il y avait quelque apparence qu'il n'en était

---

24. *avec bravade* : en bravant le Roi.
25. *prendre parti* : s'allier.
26. *d'accommoder* : d'arranger à l'amiable.
27. *de n'y donner aucun ordre* : de ne prendre aucune disposition là-dessus.
28. *du combat* : le duel judiciaire dont le vainqueur devra épouser Chimène.
29. *l'effet* : l'exécution.
30. *n'aura point de lieu* : n'aura pas lieu d'être exécutée.
31. *communication* : lien.

pas échappé[32] sans blessures, quoique je n'en aie rien dit, parce qu'elles n'auraient fait que nuire à la conclusion de l'action.

Cette même règle presse aussi trop Chimène de demander justice au Roi la seconde fois. Elle l'avait fait le soir auparavant, et n'avait aucun sujet d'y retourner le lendemain matin pour en importuner le Roi, dont elle n'avait encore aucun lieu de se plaindre, puisqu'elle ne pouvait encore dire qu'il lui eût manqué de promesse[33]. Le roman lui aurait donné sept ou huit jours de patience avant que de l'en presser de nouveau ; mais les vingt et quatre heures ne l'ont pas permis : c'est l'incommodité de la règle. Passons à celle de l'**unité de lieu**, qui ne m'a pas donné moins de gêne en cette pièce. Je l'ai placée dans Séville, bien que don Fernand n'en ait jamais été le maître ; et j'ai été obligé à cette falsification pour former[34] quelque vraisemblance à la descente des Mores, dont l'armée ne pouvait venir si vite par terre que par eau. Je ne voudrais pas assurer toutefois que le flux de la mer monte effectivement jusque-là ; mais, comme dans notre Seine il fait encore plus de chemin qu'il ne lui en fait faire sur le

---

32. échappé : sorti.
33. qu'il lui eût manqué de promesse : qu'il eût manqué à la promesse qu'il lui avait faite de lui rendre justice.
34. former : donner.

Gravure du XVIIIe siècle, vue de Séville avec la flotte des Indes.

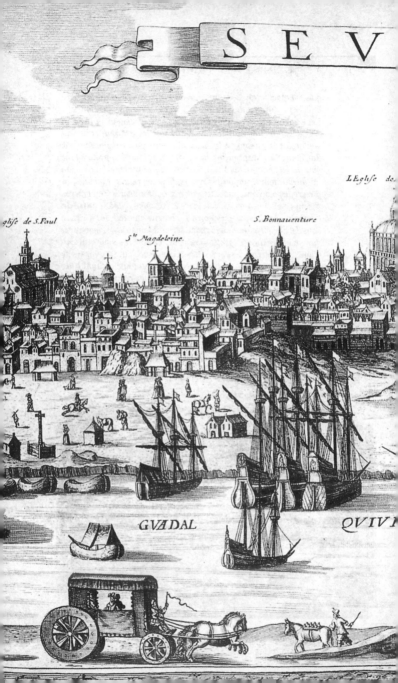

SEV

L'Eglise de.

glise de S. Paul

S. Bonnauenture

S.te Magdeleine.

GVADAL

QVIVI

Guadalquivir pour battre les murailles de cette ville, cela peut suffire à fonder quelque probabilité parmi nous, pour ceux qui n'ont point été sur le lieu même.

Cette arrivée des Mores ne laisse pas d'avoir ce défaut, que j'ai marqué ailleurs[35], qu'ils se présentent d'eux-mêmes sans être appelés dans la pièce, directement ni indirectement, par aucun acteur du premier acte. Ils ont plus de justesse[36] dans l'irrégularité de l'auteur espagnol : Rodrigue, n'osant plus se montrer à la Cour, les va combattre sur la frontière ; et ainsi le premier acteur les va chercher et leur donne place dans le poème, au contraire de ce qui arrive ici, où ils semblent se venir faire de fête[37] exprès pour en[38] être battus, et lui donner moyen de rendre à son roi un service d'importance, qui lui fasse obtenir sa grâce. C'est une seconde incommodité de la règle dans cette tragédie.

Tout s'y passe donc dans Séville, et garde ainsi quelque espèce d'unité de lieu en général ; mais le lieu particulier change de scène en scène, et tantôt c'est le palais du Roi, tantôt l'appartement de l'Infante, tantôt la maison de Chimène, et tantôt une rue ou place publique. On le détermine aisément pour les scènes détachées, mais pour celles qui ont leur liaison ensemble, comme les quatre dernières du premier acte, il est malaisé d'en choisir un qui convienne à toutes. Le Comte et don Diègue se querellent au sortir du palais, cela se peut passer dans une rue, mais, après le soufflet reçu, don Diègue ne peut pas demeurer en cette rue à faire ses plaintes, attendant[39] que son fils survienne, qu'il ne soit[40] tout aussitôt environné de peuple, et ne reçoive l'offre de quelques amis. Ainsi il serait plus à propos qu'il se plaignît dans sa maison, où le met l'Espagnol, pour laisser aller ses sentiments en liberté, mais en ce cas il faudrait délier les scènes[41] comme il a fait. En l'état où elles sont ici, on peut dire qu'il faut quelquefois aider au théâtre[42] et suppléer favorablement ce qui ne s'y peut représenter. Deux personnes s'y arrêtent pour parler, et quelquefois il faut présumer qu'ils marchent, ce qu'on ne peut exposer sensiblement à la vue, parce qu'ils échapperaient aux yeux

---

35. *ailleurs* : dans son *Discours sur le poème dramatique*.

36. *ils ont plus de justesse* : leur intervention est plus juste.

37. *se venir faire de fête* : venir de leur propre chef, comme quelqu'un qui viendrait à une fête sans y avoir été invité.

38. *en* : par lui, Rodrigue.

39. *attendant* : en attendant.

40. *qu'il ne soit* : sans être... et recevoir...

41. *délier les scènes* : rompre la liaison des scènes.

42. *aider au théâtre* : lui apporter le secours de l'imagination.

avant que d'avoir pu dire ce qu'il est nécessaire qu'ils fassent savoir à l'auditeur. Ainsi, par une fiction de théâtre, on peut s'imaginer que don Diègue et le Comte, sortant du palais du Roi, avancent toujours en se querellant, et sont arrivés devant la maison de ce premier lorsqu'il reçoit le soufflet qui l'oblige à y entrer pour y chercher du secours. Si cette fiction poétique ne vous satisfait point, laissons-le dans la place publique, et disons que le concours[43] *du peuple autour de lui après cette offense, et les offres de service que lui font les premiers amis qui s'y rencontrent, sont des circonstances que le roman ne doit pas oublier ; mais que ces menues actions ne servant de rien à la principale, il n'est pas besoin que le poète s'en embarrasse sur la scène. Horace l'en dispense par ces vers :*

Hoc amet, hoc spernat promissi carminis auctor.
Pleraque negligat[44].

Et ailleurs :

Semper ad eventum festinet[45].

C'est ce qui m'a fait négliger, au troisième acte, de donner à don Diègue, pour aide à chercher son fils, aucun des cinq cents amis qu'il avait chez lui. Il y a grande apparence que quelques-uns d'eux l'y accompagnaient, et même que quelques autres le cherchaient pour lui d'un autre côté ; mais ces accompagnements inutiles de personnes qui n'ont rien à dire, puisque celui qu'ils accompagnent a seul tout l'intérêt à l'action, ces sortes d'accompagnement, dis-je, ont toujours mauvaise grâce au théâtre, et d'autant plus que les comédiens n'emploient à ces personnages muets que leurs moucheurs de chandelles et leurs valets, qui ne savent quelle posture tenir.
Les funérailles du Comte étaient encore une chose fort embarrassante, soit qu'elles se soient faites avant la fin de la pièce, soit que le corps ait demeuré en présence[46] *dans son hôtel, attendant qu'on y donnât ordre*[47]. *Le moindre mot que j'en eusse laissé dire, pour en prendre soin, eût rompu toute la chaleur de l'attention, et rempli l'auditeur d'une fâcheuse idée. J'ai cru à propos de les dérober à son imagination par mon silence, aussi bien que le lieu précis de ces quatre scènes du premier acte dont je viens de parler ; et je m'assure*[48]

---

43. *concours* : affluence.
44. *Art poétique*, v. 44-45 : que l'auteur qui promet un poème aime ceci, dédaigne cela, et néglige bien des choses.
45. *Ibid.*, v. 148 : qu'il se hâte toujours vers le dénouement.
46. *en présence* : présent, exposé.
47. *qu'on y donnât ordre* : qu'on réglât la cérémonie.
48. *je m'assure* : je suis bien certain.

Représentation au Palais Cardinal devant Louis XIII, Anne d'Autriche et Richelieu.
Gravure XVIIᵉ siècle.

que cet artifice m'a si bien réussi, que peu de personnes ont pris garde à l'un ni à l'autre, et que la plupart des spectateurs, laissant emporter leurs esprits à ce qu'ils ont vu et entendu de pathétique en ce poème, ne se sont point avisés de réfléchir sur ces deux considérations.

J'achève par une remarque sur ce que dit **Horace,** *que ce qu'on expose à la vue touche bien plus que ce qu'on n'apprend que par un récit.*[49].

C'est sur quoi je me suis fondé pour faire voir le soufflet que reçoit don Diègue, et cacher aux yeux la mort du Comte, afin d'acquérir et conserver à mon premier acteur l'amitié des auditeurs, si nécessaire pour réussir au théâtre. L'indignité d'un affront fait à un vieillard, chargé d'années et de victoires, les jette aisément dans le parti de l'offensé et cette mort, qu'on vient dire au Roi tout simplement sans aucune narration touchante, n'excite point en eux la commisération qu'y eût fait naître le spectacle de son sang, et ne leur donne aucune aversion pour ce malheureux amant, qu'ils ont vu forcé par ce qu'il devait à son honneur d'en venir à cette extrémité, malgré l'intérêt et la tendresse de son amour.

---

49. allusion à cette remarque d'Horace : *« ce qui vient par l'oreille est plus lent à toucher le cœur que ce qu'on expose à des yeux attentifs ».*

Rodrigue doit venger son père d'un affront

Acte I	sc. 1	sc. 2	sc. 3	
Hors scène			Séance du Conseil. Don Diègue a été choisi comme gouverneur pour le fils du Roi.	
Sur scène (Après-midi du 1er jour)	*Dans la maison de Chimène :* Elvire rapporte à Chimène les propos de son père, le Comte, au sujet de Rodrigue.	*Dans l'appartement de l'Infante :* celle-ci confie ses tourments à Léonor. Elle souhaite et appréhende l'union de Rodrigue et de Chimène.	*Place publique ou rue :* le Comte refuse que Rodrigue épouse Chimène. Querelle. Soufflet à don Diègue.	
Sentiments « Moteur »			Orgueil du Comte.	

Rodrigue, l'amant, sort vainqueur du duel

Acte II	sc. 1	sc. 2	sc. 3-4	
Hors scène				
Sur scène (Soir du 1er jour)	*Salle du palais :* le Comte refuse de présenter des excuses à don Diègue.	*Devant le palais :* Rodrigue appelle le Comte en duel ; ils sortent pour se battre.	*Appartement de l'Infante :* Chimène confie ses inquiétudes à l'Infante au sujet de cette querelle. Proposition de l'Infante ... mais elles apprennent le duel.	
Sentiments « Moteur »	Orgueil du Comte.		Amour de l'Infante pour Rodrigue.	

DILEMME AMOUR/HONNEUR

sc. 4	sc. 5	sc. 6
Idem. Monologue de don Diègue. Il décide de se faire venger par son fils, Rodrigue.	Idem. Il exhorte Rodrigue à la vengeance.	Idem. Désarroi de Rodrigue qui décide pourtant de venger son père.
Sens de l'honneur de don Diègue.		

MORT D'UN PÈRE À RÉPARER

sc. 5	sc. 6-7-8		
Duel entre le Comte et Rodrigue.			
Idem : l'Infante fait part de ses espérances à Léonor.	Salle du trône : le Roi veut faire arrêter le Comte. Annonce de l'arrivée de vaisseaux mores.	On annonce au Roi la mort du Comte.	Chimène demande justice. Le Roi veut délibérer.
Espoir de l'Infante.			

Chimène doit venger son père

Acte III	sc. 1	sc. 2	sc. 3	
Hors scène		Rodrigue caché.	Rodrigue caché.	
Sur scène (Pendant la nuit)	*Maison de Chimène :* Rodrigue se présente chez Chimène pour lui offrir sa tête. Elvire le cache.	*Maison de Chimène :* Chimène repousse l'offre de vengeance de don Sanche.	*Maison de Chimène :* Chimène confie son désarroi à Elvire. Elle aime Rodrigue et donne libre cours à sa passion, mais doit venger son père.	
Sentiments « Moteur »	Sens du devoir et amour de Rodrigue pour Chimène.	Sens de la bienséance.		

Retour de Rodrigue

Acte IV	sc. 1	sc. 2	
Hors scène	Bataille contre les Mores.		
Sur scène (Début de matinée du second jour)	*Maison de Chimène :* Chimène apprend le triomphe de Rodrigue mais elle reste déterminée dans sa résolution.	L'Infante tente de persuader Chimène d'abandonner toute poursuite contre le héros national qu'est devenu Rodrigue.	
Sentiments « Moteur »			

À PROPOS DE L'ŒUVRE

AMOUR IMPOSSIBLE

	sc. 4	sc. 5	sc. 6
		Bataille contre les Mores	
	Maison de Chimène : Rodrigue se justifie auprès de Chimène. Celle-ci lui annonce sa décision.	*Près de chez Chimène (rue)* : second monologue de don Diègue, à la recherche de son fils.	Joie de don Diègue et désespoir de Rodrigue. Celui-ci est envoyé combattre les Mores.
	Sens du devoir.		Amour filial.

SOLUTION D'UN NOUVEAU DUEL

sc. 3	sc. 4	sc. 5
Salle du trône : le Roi reçoit publiquement Rodrigue. Celui-ci fait le récit de ses exploits guerriers contre les Mores.	*Salle du trône* : Chimène vient à nouveau réclamer justice.	*Salle du trône* : subterfuge du Roi qui démasque l'amour de Chimène pour Rodrigue. Elle demande un nouveau duel ; elle en épousera le vainqueur.
Sens de l'honneur et amour-propre (elle doit respecter la promesse qu'elle s'est faite).		

153

Rodrigue, vainqueur, est destiné à Chimène

Acte V	sc. 1	sc. 2	sc. 3	
Hors scène				
Sur scène (Fin de la matinée)	*Maison de Chimène :* Rodrigue vient dire adieu à Chimène. Elle l'exhorte à sortir vainqueur de ce duel.	*Appartement de l'Infante :* celle-ci hésite encore entre le devoir de son rang et son amour pour Rodrigue. Finalement elle se sacrifie.	*Appartement de l'Infante :* l'Infante prend la décision irrévocable de donner Rodrigue à Chimène.	
Sentiments « Moteur »	Amour persistant de Chimène pour Rodrigue.	Sens du rang.		

À PROPOS DE L'ŒUVRE

L'HONNEUR TOUJOURS EN JEU

sc. 4	sc. 5	sc. 6	sc. 7
Maison de Chimène : Chimène confie à Elvire qu'elle refusera d'épouser le meurtrier de son père. Elvire tente de la raisonner.	*Maison de Chimène :* quiproquo. Chimène croit que Rodrigue est mort. Elle accable don Sanche.	*Salle du trône :* Chimène veut se retirer dans un couvent. Mais le quiproquo est dissipé. Rodrigue est vivant ; elle doit l'épouser.	*Salle du trône :* Chimène renonce à poursuivre Rodrigue. Le Roi l'invite à combattre les Mores.
Sens extrême de l'honneur.	Amour pour Rodrigue.		Honneur.

Tombeau du Cid et de Chimène au monastère de San Pedro de Cardeña (Espagne).

L'HISTOIRE ET LA LÉGENDE

Né vers 1043 à Bivar, près de Burgos en Vieille-Castille, le Cid de l'Histoire – Rodrigo Diaz, surnommé « El Campeador » (le Batailleur) en raison de ses exploits guerriers – s'illustra à la cour d'Alphonse VI, roi de Castille, qui le maria à Chimène, princesse de sang royal. À la fin de sa vie, il conquit sur les Mores le royaume de Valence sur lequel il régna de 1094 à sa mort en 1099.

La légende s'empara bientôt de la vie de ce farouche guerrier. Dès le Moyen Age, des romances (poèmes lyriques sur des personnages héroïques) racontent que Rodrigue épousa, sur ordre du roi, la fille d'un seigneur qu'il avait tué. Mariana va plus loin dans son *Histoire d'Espagne* (1601), que cite Corneille au début de son *Avertissement* de 1648 : il y déclare que Chimène se montra très éprise des qualités de Rodrigue. Guillén de Castro franchit un pas supplémentaire en 1618 dans sa pièce *Las Mocedades del Cid (Les Enfances du Cid)* : il y montre Chimène amoureuse de Rodrigue avant que celui-ci ne tue son père.

156

La pièce de Guillén de Castro

•

Corneille dut la découvrir vers 1635. Selon la tradition héritée du théâtre médiéval, c'est une pièce très touffue, qui se divise en trois «journées» et qui, grâce à plusieurs décors simultanés, permet de représenter des épisodes éloignés dans l'espace et parfois dans le temps. En voici un résumé qui, bien qu'il laisse de côté une multitude de scènes secondaires, permettra cependant d'apprécier le travail de clarification et de simplification effectué par Corneille.

– Première journée

1. Au palais royal de Burgos : Rodrigue est adoubé chevalier par le roi Fernand Ier en présence de Chimène et de toute la Cour.

2. Dans la salle du Conseil : le Roi choisit don Diègue comme précepteur de son fils. Furieux, le Comte insulte don Diègue et lui donne un soufflet.

3. Dans la maison de don Diègue : le vieillard exprime son désespoir et éprouve successivement ses trois fils. Les deux plus jeunes hurlent de douleur quand il leur broie la main. Mais l'aîné, Rodrigue, qu'il mord au doigt, se met en colère. Don Diègue, qui ignore son amour pour Chimène, lui remet son épée et lui confie le soin de venger l'honneur familial. Rodrigue exhale sa souffrance dans un long monologue.

4. Sur la place publique : le Comte confie à un ami qu'il regrette son comportement, mais refuse de faire des excuses. Encouragé par son père devant la porte de sa maison, et sous les yeux de Chimène et de l'Infante, chacune à leur balcon, Rodrigue provoque le Comte et le tue. Tandis que Chimène accourt bouleversée, Rodrigue tient tête aux amis du Comte ; l'Infante s'interpose.

– Deuxième journée

1. Au palais royal : Chimène demande au Roi la tête de Rodrigue, que défend don Diègue.

2. Dans l'appartement de Chimène : Rodrigue vient lui offrir sa tête ; elle refuse de se faire justice elle-même. Ils gémissent ensemble sur leur malheur, tout en s'encourageant mutuellement à faire leur devoir.

3. Dans un endroit désert proche de Burgos, où Rodrigue se tient caché : son père lui donne le commandement d'une troupe d'amis contre les Mores qui viennent d'envahir la Vieille-Castille.

4. Un château dans la campagne : Rodrigue, partant au combat, passe sous la fenêtre de l'Infante qui l'encourage tendrement.

5. Dans la montagne près de Burgos : les Mores sont défaits par Rodrigue (une partie du combat est représentée, l'autre racontée par un berger).

6. Au palais royal : Rodrigue amène à don Fernand les trois rois mores qu'il a faits prisonniers et lui raconte sa victoire. Chimène, en grand deuil, vient de nouveau lui demander justice. Le Roi prononce contre Rodrigue une peine de bannissement, tout en lui donnant l'accolade.

– Troisième journée (un an plus tard)

1. Au palais royal : l'Infante révèle à don Arias son inclination pour Rodrigue ; mais, connaissant les sentiments réciproques de Rodrigue et de Chimène, elle renonce à un amour sans espoir. Le Roi rappelle Rodrigue, qui accomplit un pèlerinage en Galice. Chimène vient une troisième fois demander justice. Prévenu par don Arias de son amour pour Rodrigue, le Roi veut l'éprouver et lui annonce que Rodrigue est mort : Chimène s'évanouit. Détrompée, elle demande un duel judiciaire en promettant d'épouser son champion s'il est vainqueur.

2. Dans la forêt de Galice : Rodrigue secourt un mendiant lépreux et partage avec lui son repas. La nuit suivante, le lépreux lui apparaît en songe transfiguré en saint Lazare et lui prédit qu'il remportera toujours la victoire.

3. Au palais royal : un combat singulier, à la frontière de la Castille et de l'Aragon, doit trancher un différend entre les deux royaumes. Mais aucun castillan n'ose affronter le champion aragonais Gonzalès, qui veut profiter de ce duel pour obtenir la main de Chimène. De retour d'exil, Rodrigue relève le défi.

4. Dans l'appartement de Chimène : Chimène confie à sa duègne l'angoisse qui l'étreint à la pensée de se voir peut-être obligée d'épouser Gonzalès.

5. Au palais royal : pour s'assurer des véritables sentiments de Chimène, Rodrigue lui fait annoncer sa mort. Avouant alors publiquement son amour, Chimène souhaite se retirer dans un couvent. Mais Rodrigue paraît, vainqueur de Gonzalès, et le Roi oblige Chimène à respecter la condition du combat. Son mariage est célébré le soir même.

Corneille a donc accompli sur ce canevas très touffu un travail considérable de condensation et d'approfondissement. Il supprime carrément certaines péripéties : ainsi les épisodes du berger, du lépreux, du différend entre les rois de Castille et d'Aragon. Il ne met pas en scène comme son modèle deux ou trois ans de la vie du Cid : il en représente une journée. L'amour réciproque de Rodrigue et de Chimène, longtemps tenu secret chez Castro, est une donnée connue de tous dès l'exposition. Le combat contre les Mores, loin d'être un simple épisode spectaculaire, modifie radicalement la situation de Rodrigue en faisant de lui un héros national et en pesant de façon décisive sur le jugement du Roi. Surtout, le conflit moral s'enrichit en se concentrant et en s'intériorisant.

LAS MOCEDADES DEL CID.

COMEDIA PRIMERA.

POR D. GVILLEM DE CASTRO.

Los que hablan en ella son los siguientes.

El Rey D. Fernando.
La Reyna su muger.
El Principe D. Sãcho.
La Infanta doña Vrraca.
Diego Laynez Padre del Cid.
Rodrigo, el Cid.
El Conde Loçano.

Ximena Gomez, hija del Conde.
Arias Gonçslo.
Peransules.
Hernan Dias, y Bermudo Lain hermanos de Cid.
Elurra criada de Ximena Gomez.

Vn maestro de armas del Principe.
D. Martin Gõçales.
Vn Rey Moro.
Quatro Moros.
Vn Pastor.
Dos, o tres Pajes, y alguna otra gẽte de acompañamiente.

LE TRIOMPHE (1637)

– Mondory, qui créa le rôle de Rodrigue sur la scène du Marais, écrit à Guez de Balzac quinze jours environ après la première :

> *Je vous souhaiterais ici pour y goûter, entre autres plaisirs, celui des belles comédies qu'on y représente, et particulièrement d'un Cid qui a charmé tout Paris. Il est si beau qu'il a donné de l'amour aux dames les plus continentes. [...] La foule a été si grande à nos portes, et notre lieu s'est trouvé si petit, que les recoins du théâtre qui servaient les autres fois comme de niches aux pages ont été des places de faveur.*

– Pellisson rappellera encore en 1653 dans son *Histoire de l'Académie* l'accueil passionné fait à la pièce :

> *Il est malaisé de s'imaginer avec quelle approbation cette pièce fut reçue de la cour et du public. On ne pouvait se lasser de la voir, on n'entendait autre chose dans les compagnies, chacun en savait quelque partie par cœur, on la faisait apprendre aux enfants, et en plusieurs endroits de la France il était passé en proverbe de dire :* « Cela est beau comme Le Cid ».

LA QUERELLE (1637-1638)

JEAN MAIRET

Malgré ce triomphe, la pièce suscita les réserves de certains critiques et la jalousie des autres auteurs dramatiques : c'est la fameuse «querelle du Cid». À l'*Excuse à Ariste*, poème dans lequel Corneille revendique hautement son originalité, le dramaturge Mairet riposte par *L'Auteur du vrai Cid espagnol à son traducteur français* et une *Épître familière* où, faisant parler Guillén de Castro, il taxe ouvertement Corneille de plagiat :

> *Ingrat ! Rends-moi mon Cid jusques au dernier mot.*
> *Après tu connaîtras, Corneille déplumée,*
> *Que l'esprit le plus vain est souvent le plus sot,*
> *Et qu'enfin tu me dois toute ta renommée.*

Quelques semaines plus tard, Scudéry publie des *Observations sur Le Cid* qui sont une attaque systématique de la pièce, puisqu'il se fait fort de prouver

> *Que le sujet n'en vaut rien du tout,*
> *Qu'il choque les principales règles du poème dramatique,*
> *Qu'il manque de jugement en sa conduite,*
> *Que presque tout ce qu'il a de beautés sont dérobées,*
> *Et qu'ainsi l'estime qu'on en fait est fort injuste.*

Ce sont surtout deux points que Scudéry reproche à Corneille : d'avoir plagié sans vergogne son modèle espagnol et d'avoir fait de Chimène une « impudique » et une « parricide » :

> L'on y voit une fille dénaturée ne parler que de ses folies, lorsqu'elle doit ne parler que de son malheur ; plaindre la perte de son amant lorsqu'elle ne doit songer qu'à celle de son père ; aimer encore ce qu'elle doit abhorrer ; souffrir en même temps, et en même maison, ce meurtrier et ce pauvre corps ; et, pour achever son impiété, joindre sa main à celle qui dégoutte encore du sang de son père.

La querelle s'envenimant (trente-six opuscules paraissent pour et contre Corneille en 1637 et 1638), l'Académie est priée de rendre son arbitrage entre partisans et adversaires du *Cid*. Dans les *Sentiments de l'Académie*, rédigés par Chapelain, Corneille est entièrement blanchi de l'accusation de plagiat ; en revanche, il lui est reproché d'avoir enfreint la règle de l'unité de temps et celle de la vraisemblance, et surtout d'avoir fait de Chimène une amante trop sensible aux dépens de son devoir et de la bienséance :

> Nous n'entendons pas néanmoins condamner Chimène de ce qu'elle aime le meurtrier de son père, puisque son engagement avec Rodrigue avait précédé la mort du Comte et qu'il n'est pas en la puissance d'une personne de cesser d'aimer quand il lui plaît. Nous la blâmons seulement de ce que son amour l'emporte sur son devoir, et qu'en même temps qu'elle poursuit Rodrigue elle fait des vœux en sa faveur. Nous la blâmons de ce qu'ayant fait en son absence un bon dessein de le poursuivre, le perdre et mourir après lui, sitôt qu'il se présente à elle, quoique teint du sang de son père, elle le souffre en son logis et dans sa chambre même, ne le fait point arrêter, l'excuse de ce qu'il a entrepris contre le Comte, lui témoigne que pour cela elle ne laisse pas de l'aimer, lui donne presque à entendre qu'elle ne le poursuit que pour en être plus estimée, et enfin souhaite que les juges ne lui accordent pas la vengeance qu'elle leur demande. C'est trop clairement trahir ses obligations naturelles en faveur de sa passion ; c'est trop ouvertement chercher une couverture à ses désirs ; et c'est faire bien moins le personnage de fille que d'amante.

Sans doute pouvait-elle encore aimer Rodrigue (on n'est pas le maître de ses inclinations) : mais elle ne devait pas l'épouser.

LES SENTIMENS
DE
L'ACADEMIE
FRANÇOISE
SVR
LA TRAGI-COMEDIE
DV CID.

A PARIS,

Chez IEAN CAMVSAT ruë sainct
Iacques, à la Toyson d'Or.

M. DC. XXXVIII.
Auec Priuilege du Roy.

(·)

XVIIᵉ-XVIIIᵉ SIÈCLES

Le prodigieux succès du *Cid* ne se dément pas dans la suite du XVIIᵉ siècle et pendant tout le XVIIIᵉ :

– La Bruyère, *Les Caractères*, « Des ouvrages de l'esprit », 1689 :

> Il est peut-être moins difficile aux rares génies de rencontrer le grand et le sublime que d'éviter toute sorte de fautes. [...] Le Cid est l'un des plus beaux poèmes que l'on puisse faire ; et l'une des meilleures critiques qui ait été faite sur aucun sujet est celle du Cid.

– Voltaire, *Remarques sur le Cid*, 1774 :

> On ne connaissait point encore ce combat des passions qui déchire le cœur et devant lequel toutes les autres beautés de l'art ne sont que des beautés inanimées.

Mais depuis 1734, et jusqu'en 1842, on joue une version tronquée où les rôles de l'Infante et de Léonor sont supprimés, et celui de Chimène allégé en conséquence.

L'ÉPOQUE ROMANTIQUE

Malgré les attaques dirigées contre les règles et le théâtre classique par les théoriciens romantiques, *Le Cid* fait exception et trouve grâce à leurs yeux : Victor Hugo y voit même « une œuvre romantique » dans sa fameuse *Préface de Cromwell* (1827), et Sainte-Beuve renchérit en 1832 : « Un jeune homme qui n'admirerait pas *Le Cid* serait bien malheureux ; il manquerait à la passion et à la vocation de son âge » (*Critiques et portraits littéraires*).

XXᵉ SIÈCLE

– Péguy, *Note conjointe*, 1914 :

> On nous fera difficilement croire que l'amour de Chimène et que l'amour de Rodrigue soit une faiblesse [...] et on nous fera encore plus difficilement croire que c'est une bassesse. C'est qu'en réalité le conflit, dans Corneille, ce n'est pas un conflit entre le devoir qui serait une hauteur, et la passion qui serait une bassesse. C'est un débat tragique entre une grandeur et une autre grandeur, entre une noblesse et une autre noblesse, entre l'honneur et l'amour.

– Octave Nadal, *Le Sentiment de l'amour dans l'œuvre de Pierre Corneille*, Paris, Gallimard, 1948 :

> On accorde généralement à Corneille qu'il donne dans Le Cid, plus qu'en aucune autre de ses tragédies, une note juste de l'amour ; qu'il ne le ramène pas entièrement à des idées ; lui laisse ses mouvements naturels, son ardeur, ses incohérences, sa cruauté, sa fatalité ; ne lui retire pas ses fondations gracieuses et naïves, les formes de l'instinct et du bonheur. Il est hors de doute qu'une puissante sensibilité anime ce drame du cœur.

– Paul Bénichou, « Le Mariage du Cid », dans *L'Écrivain et ses travaux*, 1966 :

> Dans le conflit entre l'amour et l'honneur, Rodrigue, comme homme, a choisi l'honneur, et Chimène, comme femme, l'amour : ainsi se maintient l'esprit primitif de la légende dans la forme nouvelle qu'elle a prise.

L'ACTUALITÉ CONTEMPORAINE DANS LA PIÈCE

Il n'y a pas dans *Le Cid* de couleur locale, au sens où l'entendaient les Romantiques. Une reconstitution historique, telle qu'on l'entend aujourd'hui, était impossible au XVIIᵉ siècle. Corneille aurait pu du moins conserver les traits de mœurs qu'il rencontrait chez Castro et surtout dans les romances : il a soigneusement effacé, au contraire, tout ce qui aurait rappelé de façon trop visible, trop particulière, l'Espagne et le Moyen Âge. Si l'on changeait les noms des personnages, ce serait, pour le public du XVIIᵉ siècle, une action qui pourrait se passer n'importe où.

C'est que, dans *Le Cid* comme dans toutes ses autres grandes tragédies, il a bien moins cherché à représenter les temps anciens que la société qu'il avait sous les yeux. Bien entendu, il l'a embellie : mais son théâtre n'en est pas moins le reflet d'une époque, il baigne dans l'atmosphère contemporaine. Il y a une actualité du *Cid*. Aucun écrivain de cette époque n'a su traduire aussi bien que Corneille l'idéal de toute sa génération. Cette société du temps de Louis XIII, de Richelieu et de Mazarin – du moins l'élite qui seule attirait alors les regards et dont Corneille recherchait surtout le suffrage –, elle a naturellement ses défauts (insubordination, orgueil, égoïsme, violence) qui se manifesteront surtout pendant la Fronde. Mais elle a eu beaucoup de goûts nobles, d'aspirations élevées, d'intentions généreuses. Par bien des côtés on peut l'appeler une génération cornélienne.

LES VALEURS MORALES DE LA SOCIÉTÉ CONTEMPORAINE

L'idée que la vocation de l'homme est de se surpasser, de repousser toujours plus loin ses limites, d'aspirer vers le haut jusqu'à atteindre l'héroïsme, les contemporains l'ont héritée de la génération précédente, celle qui a été si marquée par le courant néo-stoïcien dans le dernier tiers du XVIᵉ siècle : or le stoïcisme est une morale orgueilleuse d'affirmation et d'exaltation du moi. Il y a aussi l'influence très importante de l'enseignement des Jésuites, qui croient à la puissance de la volonté de l'homme, à son libre arbitre, à la possibilité pour lui – avec l'aide de la grâce divine – de triompher de ses passions. Il y a enfin les circonstances historiques : l'époque Louis XIII est fertile en événements pathétiques. La France est en grave danger d'encerclement ; c'est pour elle une question de vie ou de mort de se dégager de l'étau des possessions espagnoles, de sauvegarder son indépendance et son influence face aux tentations hégémoniques de la Maison d'Autriche (Espagne et Empire). C'est la raison essentielle de la guerre franco-espagnole qui durera de 1635 à 1659. C'est aussi le moment où Richelieu et la grande aristocratie s'affrontent avec tant d'âpreté, où se succèdent révoltes et conspirations sur fond de guerre étrangère. En ces heures fiévreuses, parfois critiques, vit puissamment cette génération Louis XIII, tumultueuse et romanesque, qui a tant attiré, au XIXe et au début du XXe siècle, les romanciers et les poètes : un Alexandre Dumas dans *Les Trois Mousquetaires* et *Vingt ans après,* un Edmond Rostand dans *Cyrano de Bergerac.* C'est une génération remuante et ardente, qui tient encore d'assez près au XVIe siècle, qui a gardé beaucoup de son esprit aventureux et de son individualisme, mais qui pourtant s'exerce déjà à discipliner sa volonté et à fortifier sa raison.

– Le premier trait distinctif de cette société contemporaine du *Cid,* c'est **l'énergie.** C'est une génération infatigable, au physique et au moral, à la vitalité stupéfiante dont témoignent tous les Mémoires du temps : on voit des particuliers se disputer, les armes à la main, une succession privée comme les rois se disputent des provinces ; même les dames débordent d'énergie virile : on en voit qui ont des duels, qui dirigent des attaques et tirent gloire de leurs faits d'armes.

– Quand il s'y joint une certaine fierté de race et le désir de faire parler de soi, une telle énergie conduit tout droit à l'exaltation de **l'honneur, à l'héroïsme,** à cette recherche de ce qui est hors du commun qui est l'un des traits distinctifs de Rodrigue, d'Horace ou de Nicomède. La jeune noblesse contemporaine du *Cid* se plaît aux actions rares, difficiles, étonnantes. On n'en finirait pas de citer des exemples de courage, voire de folle témérité. Pour chaque opération tant soit peu périlleuse à l'armée, tout le monde s'offre à tenir le premier rang. Un contemporain écrit : « L'honneur est en trop haut point pour qu'aucune entreprise paraisse impossible ». C'est presque le vers fameux de Rodrigue : *À qui venge son père il n'est rien impossible.*

– L'exagération du point d'honneur se traduit par d'incessantes **querelles de préséance** et par la **manie des duels.** C'était un privilège immémorial de la noblesse que de se faire justice elle-même dans les affaires d'honneur. Sous le règne d'Henri IV, cette manie des duels avait fait de terribles ravages : plus de quatre mille morts. Le mal augmente encore sous la régence de Marie de Médicis. On tire souvent l'épée sans motif sérieux, sans colère, simplement pour montrer son courage ou faire parler de soi. Paul de Gondi, futur cardinal de Retz, quoique destiné à l'Église, a de nombreux duels dans sa jeunesse ; les *Mémoires* de Bussy-Rabutin sont remplis des siens. La manie du duel est telle que l'ardeur belliqueuse et le plaisir de se mesurer avec un adversaire digne de soi suffisent parfois à le provoquer, sans qu'il y ait eu d'offense, ni même de sujet de mécontentement.

Richelieu avait toutes les raisons de vouloir interdire le duel : c'est un reste de l'ancienne indépendance nobiliaire, or le ministre est en lutte contre la grande aristocratie et cherche à lui imposer l'autorité de l'État ; d'autre part, il considère que cette inutile saignée (car les duels sont très meurtriers) est un gaspillage préjudiciable à l'État, et que les jeunes gentilshommes ont un meilleur emploi à faire de leur bravoure, en temps de guerre, que de l'appliquer à s'entretuer. D'où l'édit de 1626 interdisant toute forme de duel et sa stricte application : un des plus grands seigneurs du royaume, Montmorency-Boutteville, l'ayant ouvertement bravé est décapité en place de Grève le 21 juin 1627.

Cette époque Louis XIII est donc celle des bravoures emphatiques, des équipées tapageuses, des conjurations, des galanteries raffinées, du goût de l'exploit et de l'action rare, du point d'honneur le plus chatouilleux : elle est exaltée et romanesque. L'héroïsme y a des airs de théâtre et l'amour des airs de roman. En actes et en paroles s'expriment, avant et après *Le Cid,* les sentiments généreux et hautains auxquels Corneille a su donner une expression supérieure.

LES ÉLÉMENTS D'ACTUALITÉ DANS *LE CID*

Certains rapprochements de détail permettent de confirmer cette pénétration de l'œuvre par la vie contemporaine. Car Corneille n'est pas seulement un très grand poète : c'est aussi un auteur avisé, soucieux de son succès et habile à en saisir l'occasion. Or il n'y a pas de moyen plus sûr d'attirer le public que de répondre à ses préoccupations : aussi n'a-t-il pas négligé ce que nous appelons l'actualité. Plus d'une fois il a fait allusion aux événements du jour ou abordé indirectement des questions auxquelles les gens de son époque ne pouvaient rester indifférents. Il y a ainsi un rapport très clair entre la conjuration de Cinna et tous les complots ourdis contre Richelieu (celui de Cinq-Mars, l'année même de *Cinna*, n'étant que le dernier et le plus connu) ; de même dans *Polyeucte,* Corneille introduit au cœur de l'action une des questions les plus brûlantes du siècle, celle de la grâce, qui vient de se poser au public avec acuité, puisque c'est le moment où est condamné à Rome l'*Augustinus,* bréviaire du jansénisme. Or il se trouve qu'un certain nombre des thèmes politiques du *Cid* sont des thèmes d'actualité.

L'autorité royale
•

Sous Louis XIII la noblesse, encore imbue de ses prérogatives, accepte très mal le nivellement dans la condition obscure de sujet. Toujours prête à la révolte et à se faire justice elle-même, elle n'admet pas les récents progrès du centralisme monarchique et n'aspire qu'à reconquérir l'influence politique qui lui échappe peu à peu ; et d'ailleurs on la voit mettre à profit toutes les périodes de faiblesse de l'autorité royale que sont les minorités pour s'agiter (troubles de 1610-1623 et de la Fronde) et tenter de recouvrer son ancien poids dans l'État. Autrefois, l'aristocratie ne regardait le Roi que comme le premier des gentilshommes du royaume ; tout a bien changé avec la poigne de fer de Richelieu, qui lutte pour faire prévaloir l'absolutisme de droit divin.

Corneille n'a pas craint d'évoquer dans *Le Cid* cette question dangereuse et délicate, puisque d'un côté il devait se garder de déplaire au public aristocratique qui donnait le ton, et de l'autre éviter d'irriter le tout-puissant ministre. Il la pose au contraire dès le début de la querelle entre don Diègue et don Gormas (I, 3) où les deux conceptions s'affrontent :

– mécontent du Roi, le Comte affirme orgueilleusement son indépendance (v. 157-160) ; de même encore face à don Arias, l'envoyé du souverain (II, 1, v. 369-373). C'est d'ailleurs un héritage de Castro, chez lequel don Gormas avait déjà cette humeur intraitable.

– don Diègue représente au contraire la soumission à l'absolutisme (v. 163-164), de même que don Arias au début de l'acte II (v. 369-373). Le loyalisme de don Diègue éclate encore dans son attitude devant l'invasion des Mores : alors qu'à l'annonce de leur approche la Cour est en alarme, c'est lui qui veille, c'est lui qui réunit sous les ordres de Rodrigue une troupe de cinq cents cousins et amis, exactement comme, au début du siège de La Rochelle en 1628, le duc de La Rochefoucauld (père de l'auteur des *Maximes*) amène à Louis XIII une petite armée de quinze cents gentilshommes du Poitou en lui disant : « Sire, il n'y en a pas un qui ne soit mon parent ».

Au début du second acte (II, 1) se pose la question de savoir si l'on peut pardonner un acte d'insubordination à un grand seigneur. Don Arias tâche d'obtenir du Comte qu'il s'excuse publiquement de l'injure faite à don Diègue. Mais le Comte n'est pas de ceux qu'on intimide : il repousse avec hauteur toute idée d'accommodement (v. 375-378). Comme l'écrit Sainte-Beuve, le public du *Cid* « croyait entendre le propos d'un Montmorency, d'un Lesdiguières, d'un Rohan : c'est ainsi que les derniers grands seigneurs, hier encore, avaient parlé. On écoutait, non sans un certain frémissement, l'écho de cette altière et féodale arrogance que Richelieu achevait à peine d'abattre et de niveler ».

Enfin, à la fin de l'acte (II, 6) le spectateur voit se heurter encore l'humeur indisciplinée de la noblesse et les droits souverains du monarque. Don Sanche y prend en effet hautement le parti du Comte parce qu'il aime sa fille et se déclare prêt à tirer l'épée pour soutenir qu'il a raison de ne pas céder. Le Roi, pourtant si débonnaire, élève le ton et impose silence à ce jeune étourdi.

Entre ces deux forces politiques qui s'opposent sous ses yeux, l'autorité royale qui ne cesse de croître et les grands seigneurs dont la puissance diminue, Corneille semble tenir habilement la balance égale puisqu'à trois reprises il donne aux deux thèses l'occasion de s'affirmer. On voit bien cependant de quel côté penche sa sympathie, puisqu'il n'a pas pris les bouillants champions de l'indépendance féodale parmi les personnages sympathiques.

ADEFONS: REX: PATER
PATRIE:

Duel à l'épée, gravure de Jacques Callot.

Le thème du duel
●

C'est l'une des références les plus marquées à l'actualité contemporaine, puisqu'il y a deux duels dans *Le Cid*. Si le second – le duel judiciaire du Ve acte – renvoie à une réalité historiquement dépassée depuis très longtemps, le premier est un duel pour une affaire d'honneur, donc la forme la plus courante du duel au XVIIe siècle. C'est un vrai duel, suivi de mort d'homme ; et c'est une donnée fondamentale de la pièce, absolument intangible, puisque sans elle il n'y aurait pas de pièce du tout. C'est la conséquence inéluctable d'une offense impardonnable faite à un vieillard. Pour les spectateurs de 1637, un tel duel était tout à fait à sa place dans une pièce chevaleresque et héroïque, et ce fut certainement un élément essentiel du succès du *Cid*.

Mais Corneille a pris soin de ne pas faire de sa pièce une apologie du duel, de ne pas exalter une pratique que Richelieu était en train de combattre. Le duel de Rodrigue avec le Comte ne résulte nullement d'un raffinement excessif du point d'honneur. C'était pour lui une obligation absolue de se battre contre don Gormas, puisque ce dernier avait refusé, malgré l'ordre du Roi, d'accorder une autre réparation. Or

172

Richelieu, gentilhomme lui-même, savait bien faire la différence entre une grave affaire d'honneur où le fils remplaçait son père défaillant pour tirer raison de la pire des insultes et les vaines et tapageuses démonstrations de vaillance qu'il condamnait dans son édit. D'ailleurs, à deux reprises, Corneille semble expliquer et justifier l'attitude de Louis XIII et de Richelieu envers les duellistes :

– à l'acte II, scène 6, don Fernand relève vertement un défi présomptueux du jeune don Sanche (v. 593-600) ;

– à l'acte IV, scène 5, lorsque Chimène promet sa main à qui vaincrait Rodrigue en combat singulier, don Fernand condamne de nouveau cette pratique (v. 1406-1411). Mais don Diègue, soucieux avant tout de la gloire de son fils, demande instamment qu'on ne lui épargne pas cette nouvelle épreuve, et il interprète ainsi le sentiment à peu près unanime de la noblesse sur les affaires d'honneur (v. 1415-1421). Le Roi finit donc par autoriser le duel, mais à titre tout à fait exceptionnel (v. 1450-1453). Il est visible que dans cette scène, qui est tout entière de son imagination, Corneille a voulu satisfaire à la fois les partisans des deux positions ; mais c'est au Roi, comme il convenait, qu'il a laissé le dernier mot. À cette question du duel, encore brûlante en 1637, Corneille n'a donc touché qu'avec habileté et mesure.

Duel à l'épée, gravure de Jacques Callot.

L'invasion étrangère
●

À l'acte IV du *Cid,* Séville est menacée d'une invasion des Mores, et n'échappe à ce péril que grâce à la promptitude, au sang-froid et au courage de Rodrigue.

Cet épisode pouvait rappeler aux contemporains la menace que venait de faire peser sur Paris l'offensive des Espagnols, à partir des Pays-Bas, en 1636. Une attaque brusquée et d'envergure mit un moment la France en danger : le 15 août, les Espagnols prennent Corbie, passent la Somme, accentuent leur poussée vers le sud, si bien que leurs coureurs arrivent jusque dans la région de Pontoise. Seul un sursaut national permet de rétablir la situation, de reprendre Corbie, et de refouler les Espagnols au nord de la Somme. La pièce de Corneille était à cette époque déja achevée, il n'y a donc pas eu influence, mais une sorte de concomitance encore plus précieuse parce qu'elle souligne combien *Le Cid* est une pièce proche, non seulement des réalités, mais des virtualités de l'histoire contemporaine.

Reprise de Corbie aux Impériaux par Louis XIII, gravure XVIIe siècle.

La « surprise des sens » (v. 98) : l'amour-désir et l'amour de raison selon d'Urfé

•

Le héros exemplaire de *L'Astrée*, Céladon, a l'impression d'avoir dans une certaine mesure renoncé à sa qualité d'homme libre en devenant amoureux d'Astrée ; voici ce qu'il déclare à la nymphe Léonide :

> *Si vous appelez être homme [...] être sujet à toutes sortes de peines et d'inquiétudes, j'avoue que l'amant demeure homme ; mais si cet homme a une volonté propre et juge toutes choses telles qu'elles sont, et non pas selon l'opinion d'autrui, je nie que l'amant soit homme, puisque dès l'heure qu'il commence de devenir tel [c'est-à-dire amant], il se dépouille tellement de toute volonté et de tout jugement qu'il ne veut ni ne juge plus que comme veut et juge celle à qui son affection l'a donné.*

L'amour selon la raison est au contraire l'une des plus hautes expressions de la liberté humaine. Alors que l'amour-désir n'est fondé que sur la beauté des traits du visage et du corps, et donc par nature contraignant et éphémère, l'amour selon la raison repose sur une sorte de connaissance intuitive des qualités morales de la personne aimée : et il est évident aux yeux d'Urfé que l'amour ainsi conçu est non seulement compatible avec la liberté humaine, mais qu'il devient l'expression la plus haute de cette liberté. Comme le souligne Robert Garapon (*Le premier Corneille*, SEDES, 1982, p. 88),

> il n'existe aucune servitude ni aucun esclavage dans l'amour ainsi compris, puisqu'il résulte d'un choix volontaire ; plus profondément, cet amour ne saurait contrarier notre volonté, car il est fusion de deux êtres en un et libre adhésion de la volonté à ce que veut l'être aimé ». « *Savez-vous bien ce que c'est qu'aimer ?* demande Silvandre dans la première partie du roman. *C'est mourir en soi pour revivre en autrui, c'est ne se point aimer que d'autant que l'on est agréable à la chose aimée, et bref, c'est une volonté de se transformer, s'il se peut, entièrement en elle.*

L'amour-propre, ou amour de soi, est donc le principal obstacle à un véritable amour. Alors que l'amour fondé sur le discernement du mérite de l'objet aimé s'épurera autant qu'il est humainement possible des éléments sensibles et conduira à l'épanouissement mutuel et au bonheur du couple, l'amour-désir ne peut mener qu'à l'asservissement et à la folie.

Illustration pour *L'Astrée* d'Honoré d'Urfé, gravure de Daniel Rabel.

L'amour impossible d'une princesse qui aime au-dessous de son rang
•

C'était déjà, dans *L'Astrée*, celui de la nymphe Galathée pour le berger Céladon ; c'est la situation de l'Infante à l'égard de Rodrigue ; et c'est l'un des thèmes favoris d'un genre théâtral proche de la tragédie, la pastorale dramatique. Le poète Du Ryer le reprend à son tour, l'année même du *Cid*, dans sa tragédie d'*Alcionée* avec le personnage de Lydie, princesse amoureuse d'un rebelle et d'un inférieur. Voici en quels termes elle évoque cet amour devant sa suivante (acte V, scène 3) :

176

Te faut-il découvrir mes secrets sentiments ?
Ou te faut-il plutôt découvrir mes tourments ?
Te montrerai-je encor... Non, non : mais il n'importe,
Vois si l'honneur est fort, vois si l'amour est forte,
Et combien l'on doit plaindre un misérable cœur
Sur qui ces deux tyrans exercent leur rigueur.
J'aimai, tu le sais bien, j'aimai ce misérable
Devant que son amour nous le rendît coupable,
Et je dois confesser que j'ai pu me trahir
Puisqu'après ses forfaits je n'ai pu le haïr.
Vois, me disait l'amour, que sa fureur extrême
Est moins une fureur qu'une preuve qu'il t'aime.
Mais, me disait l'honneur, considère son sang,
Et lui compare enfin ta naissance et ton rang ;
Monte dessus ton trône, et vois la populace :
Peut-être y verras-tu la source de sa race.
Mais, me disait l'amour, ce dieu doux et charmant
Que j'écoutai toujours plus favorablement,
S'il n'est d'un sang royal, il est bien manifeste
Qu'étant né vertueux, il est d'un sang céleste,
Et que son grand courage éprouvé tant de fois
Vaut bien cette grandeur qui fait régner les rois.
Ainsi par deux tyrans mon âme poursuivie
Leur cédait tour à tour ma franchise et ma vie ;
Ainsi j'étais esclave et d'eux et des ennuis,
Et maintenant encor je ne sais qui je suis.
Enfin l'honneur plus fort que ma première flamme
Après mille combats commande dans mon âme ;
Enfin il est le maître, et c'est lui seulement
Qui s'oppose à l'espoir d'un misérable amant.
C'est lui qui me fait voir que l'amour est ma honte,
C'est lui qui me combat, c'est lui qui me surmonte,
Et qui m'impose encor cette fatale loi
Ou de n'aimer jamais, ou de n'aimer qu'un roi.

PARCOURS THÉMATIQUE

Le point d'honneur
●

Deux morales s'affrontent donc. La morale féodale est celle du Comte, de Rodrigue, de don Diègue. Un élan spontané les porte à demander ou à accorder réparation par les armes. Ils ne conçoivent pas que des « satisfactions » autres puissent réparer une atteinte au point d'honneur. Quelle « satisfaction » d'ailleurs pourrait-on leur proposer ? [...] Le combat reste à peu près inévitable. D'ailleurs la morale féodale bénéficie dans Le Cid de tout le prestige attaché à la vaillance et à la jeunesse de Rodrigue.

Une morale moins empanachée s'appuie sur la raison d'État. Des excuses, faites sur ordre du Roi, ne sauraient déshonorer :

  Le Comte à m'obéir ne peut perdre sa gloire (v. 604).

C'est faire passer le devoir d'obéissance avant le point d'honneur.

Georges Couton, *Réalisme de Corneille*, Les Belles-Lettres, 1953.

Mise en scène au Théâtre de la Ville en 1972, avec J. M. Flotats et J. P. Bernard.

Le duel
•

Le passage suivant des *Mémoires* de Pontis (l'épisode se situe sous Henri IV) montre quel degré atteignit alors la fureur des duels :

> *Un jeune cadet[1] comme moi, nommé Vernetel, reçut un soufflet d'un autre gentilhomme, nommé du Mas, qui était dans la même compagnie, et qui, l'ayant de ce coup jeté par terre, lui marcha ensuite sur le ventre. Cet outrage le mit au désespoir ; et dans la nécessité malheureuse où il crut être engagé par le faux honneur du monde[2] de périr ou de s'en venger, ne voulant point entendre parler d'accommodement en cette rencontre[3], il s'adressa à moi, qui étais son ami particulier, et me pria de l'aider à recouvrer son honneur. Comme j'étais alors dans les mêmes maximes que lui[4], je ne crus point lui pouvoir refuser ce service. J'eus grande peine à parler en particulier à du Mas, à cause que son action ayant éclaté[5] ils étaient beaucoup surveillés[6] ; mais enfin, au bout de quinze jours ou environ, lorsque tout le régiment était à Argenteuil et que les officiers étaient assemblés au conseil de guerre pour juger un soldat qui avait volé, je le fus joindre, et lui dis que Vernetel l'attendait pour ce qu'il savait. Il me répondit qu'il avait deux amis dont il ne pouvait se dégager. Je le priai de se contenter d'en exposer un pour le servir[7], parce que j'étais seul avec mon ami ; mais comme je vis qu'il n'y voulait point entendre, je le quittai en lui disant que je lui en rapporterais bientôt des nouvelles. Un cadet qui nous entendit me vint dire qu'il voyait bien de quoi il s'agissait, et me menaça en même temps de me*

---

1. cadet au régiment des gardes.
2. au moment où il écrit ses *Mémoires* à la fin de sa vie, Pontis, devenu janséniste et retiré à Port-Royal, partage la condamnation qu'un christianisme plus rigoureux porte alors contre le duel et la conception trop orgueilleuse du point d'honneur qui l'inspire.
3. circonstance.
4. c'est-à-dire la morale de la gloire, la religion du point d'honneur.
5. ayant produit un éclat public.
6. on les surveillait pour les empêcher de se battre ; c'est ainsi qu'aux v. 495-497 l'Infante projette de retenir Rodrigue pour l'empêcher d'en venir aux mains avec le Comte.
7. être son *servant*, c'est-à-dire le seconder dans son duel. On a vu ainsi des duels dégénérer en véritables batailles rangées, jusqu'à six contre six.

découvrir[8] s'il n'était de la partie, tant la fureur de ces sortes de combats passait alors pour une action héroïque. Je fis d'abord ce que je pus pour le détromper du soupçon qu'il avait eu ; mais, ne l'ayant pu persuader, je me vis contraint de lui avouer l'état de la chose ; à quoi il me repartit froidement : « La cause est trop bonne, on ne saurait y périr. » La partie étant ainsi liée[9] de part et d'autre, nous passâmes en bateau dans une île où le rendez-vous était donné, et nous attachâmes le batelier pour empêcher qu'on ne vînt à nous et pour pouvoir repasser après le combat, qui fut si sanglant que de six il y en eut cinq de fort blessés, dont un demeura sur le champ et mourut vingt-quatre heures après, et un autre au bout de trois semaines.

8. dénoncer.
9. le projet arrêté, l'affaire arrangée.

La survivance de l'esprit féodal
•

Le terme de féodal, appliqué à l'inspiration de Corneille, peut, à première vue, sembler anachronique. Mais il n'en est pas d'autre pour désigner ce qui, dans la psychologie des gentilhommes du XVIIe siècle, persiste des vieilles idées d'héroïsme et de bravade, de magnanimité, de dévouement et d'amour idéal, ce qui s'oppose aux tendances plus modernes de l'aristocratie, à la simple élégances morale ou à l'« honnêteté ». Les idées, les sentiments et les comportements qui avaient accompagné la vie féodale se sont maintenus vivants bien longtemps après la décadence de la féodalité. Aucune révolution violente n'avait frappé les institutions anciennes qui s'étaient altérées progressivement, sans que l'individualisme noble, l'esprit d'aventure, le goût de l'outrance et des sublimations rares eussent jamais complètement disparu. L'époque de Corneille est justement, dans les temps modernes, une de celles où les vieux thèmes moraux de l'aristocratie ont revécu avec le plus d'intensité. La morale héroïque des siècles féodaux et la théorie courtoise de l'amour arrivent ainsi modernisées et enrichies jusqu'au temps du Cid, où des circonstances sociales favorables – renouveau de la conscience et du prestige nobles, poussée d'agitation politique chez les grands – leur donnent l'occasion de jeter un suprême éclat. C'est dans ce sens qu'on peut parler d'inspiration féodale chez Corneille, comme d'une influence à la fois lointaine et vivace.

Paul Bénichou, *Morales du Grand Siècle*, Gallimard, 1948, rééd. 1970.

Le thème baroque du « change »

•

> *Mon honneur offensé sur moi-même se venge,*
> *Et vous m'osez pousser à la honte du change ! (v. 1061-1062).*
> *La violence avec laquelle Rodrigue récuse le « change » est d'autant*
> *plus frappante qu'il est le premier héros de Corneille à le faire. À*
> *considérer la production antérieure de Corneille, de Mélite à L'Illu-*
> *sion comique incluse, on pouvait y voir une apologie généralisée du*
> *« change ». Il y a là tout l'esprit d'une époque qui s'épanouissait déjà*
> *dans la pastorale, dramatique tout autant que narrative (L'Astrée),*
> *dans la tragi-comédie, et dans tant de poèmes [...]. Dans les pièces qui*
> *précèdent immédiatement Le Cid, Corneille a mis en scène tous les*
> *types de héros inconstant : l'inconstant par devoir moral (Alidor*
> *dans La Place Royale), l'inconstant par principe politique (Jason*
> *dans Médée), l'inconstant par frénésie amoureuse (Clindor dans*
> *L'Illusion comique) ; sans oublier les héroïnes : l'inconstante par*
> *légèreté d'être (Célidée dans La Galerie du Palais), l'inconstante*
> *par philosophie (Phylis dans La Place Royale). Contre le courant de*
> *son époque, contre ses propres réalisations, Corneille invente un*
> *héros d'un nouveau genre qui est peut-être d'abord une « réaction ».*

Georges Forestier, *Le Cid*, coll. *Texte et contextes*,
Magnard, 1988, p. 158.

> *Tout se passe comme si Corneille, après une première plongée dans*
> *l'univers trop mobile du Baroque, avait éprouvé le besoin d'un*
> *violent coup de barre qui le mît à l'abri des sortilèges de l'instabilité ;*
> *ayant trop goûté à ce qui lui parut un poison, il n'eut plus de cesse*
> *qu'il n'eût trouvé le contre-poison ; de sorte qu'à partir du « change »*
> *il s'évertue à construire un homme qui échappe au « change » ; il s'en*
> *échappe, mais comme un naufragé suspendu au-dessus du courant.*
> *On s'explique mieux ainsi la tension, la violence soutenue, la fré-*
> *nésie poussée jusqu'au paradoxe, la surenchère de férocité ou de*
> *dépassement qui animent furieusement ces héros de l'inaltérable.*

Jean Rousset, *La Littérature de l'âge baroque en France*,
Corti, 1954.

La magnanimité héroïque
•

Ce thème qui aura une telle importance dans les tragédies corné-liennes ultérieures (notamment *Cinna* et *Nicomède*) reçoit une pre-mière illustration dans le duel entre don Sanche et Rodrigue du Ve acte :

> *Paradoxalement, ce duel n'en est pas un, car don Sanche n'est pas un adversaire digne du Cid. La logique sanglante du «meurs ou tue» appartient au passé. L'honneur commandait de tuer don Gomès. L'honneur commande d'épargner don Sanche. Don Gomès était un adversaire. Don Sanche sera un vassal. L'heure n'est plus à l'élimi-nation pour deux raisons. Don Gomès n'était pas irremplaçable. Le Cid l'est. L'intérêt de l'État réclame sa survie. Le duel avec le Comte opposait deux familles, le duel avec don Sanche oppose deux indi-vidus : l'acharnement a disparu, car la loi du sang n'est plus à l'œuvre. C'est en sauvant don Sanche que le Cid est exemplaire : la générosité ne consiste pas à écraser les faibles. Don Sanche ne peut rien enlever, rien ajouter à la gloire de Rodrigue. Le duel apparaît donc comme une fausse solution. Seule la dernière scène de la pièce résoudra, sous les auspices du roi, le «conflit» entre Rodrigue et Chimène. La confirmation est donnée que seuls les héros savent régler les «conflits» héroïques.*
>
> Michel Prigent, *Le Héros et l'État dans la tragédie de Pierre Corneille*, P.U.F., 1986.

De Rodrigue à Suréna : le thème du conflit entre le Roi et le héros
•

Avec le dialogue entre don Arias et le Comte (II, 1) apparaît une thématique riche d'avenir dans le théâtre de Corneille (*Nicomède, Sertorius, Suréna*), celle des rapports conflictuels entre le souverain et le héros sujet, sujet trop puissant devenu le soutien du royaume. Dans *Le Cid*, le Roi se borne à vouloir faire arrêter le Comte rebelle (v. 570-572) ; sa mort dans un duel n'enlève rien à sa gloire. Près de quarante ans plus tard, Suréna, général modèle dont le prince n'a rien à redouter, tombe néanmoins lâchement assassiné sur ordre du Roi :

La marche du temps offrait à Rodrigue, dans un monde ouvert, chance après chance. La marche du temps condamne Suréna, dans un espace fermé, à l'étouffement. La vaillance n'est plus une valeur, mais un crime : le héros n'a plus le droit d'être héroïque. Symboliquement, l'assassinat politique anonyme remplace le duel : l'épée de Rodrigue tuait don Gomès – c'était un affrontement entre pairs –, trois flèches inconnues abattent Suréna – c'est une élimination ténébreuse. Le roi enfin a changé. Don Fernand n'était certes pas un grand souverain, mais il connaissait sa fonction historique, sa mission providentielle. Il accompagnait de son autorité naissante la genèse du monde héroïque. Orode et Pacorus se partagent – comble du scandale dans une monarchie – un pouvoir négatif destiné à écraser le sujet, même et surtout si celui-ci est loyal : le roi était un allié, il est devenu un ennemi. L'histoire sauvait Rodrigue. La politique condamne Suréna. Le temps, la vaillance, le roi sont, en 1674, des valeurs négatives. La grandeur n'abandonne pas pour autant la scène, mais sera muette désormais : le dernier silence de Corneille, dix ans avant sa mort, est celui de la mort du héros. Suréna est la figure inversée du Cid.

Michel Prigent, ibid.

Amour
●

● puissance tyrannique de la passion :

v. 81 : « L'amour est un tyran qui n'épargne personne »
v. 98, 506-512, 523-526, 530, 553-554, 1059

● principe d'émulation des âmes généreuses :

v. 912 : « Mais aussi, le faisant, tu m'as appris le mien »
v. 810-825, 869-996

Autorité royale
●

v. 163-164 : « Mais on doit ce respect au pouvoir absolu
       De n'examiner rien quand un roi l'a voulu. »
v. 157-160, 354-396, 562-572, 1247-1252, 1804

Cœur, courage
●

v. 261 : « Rodrigue, as-tu du cœur ? »
v. 30, 120, 222, 394, 416, 419, 430, 482, 521, 576-578, 588, 594, 611,
719, 875, 953, 1038, 1294, 1310, 1436, 1446, 1455, 1474, 1483, 1518,
1526, 1601

Devoir
●

● de respect filial :

v. 20 : « Attend l'ordre d'un père à choisir un époux »
v. 342, 820, 897, 911, 925, 1140, 1167, 1192, 1501, 1678, 1689, 1728

● de respect de son rang :

v. 87 : « Une grande princesse à ce point s'oublier ! »
v. 92, 1630-1631

● de fidélité à son amour :

v. 322 : « Je dois à ma maîtresse aussi bien qu'à mon père »
v. 1061-1068, 1829-1832

● des sujets envers le Roi :

v. 372 : « Qui sert bien son roi ne fait que son devoir »
v. 587, 1233-1236, 1317, 1751

DUEL
●

v. 403 : « À quatre pas d'ici je te le fais savoir »
v. 397-442, 1397-1432, 1615-1626

GÉNÉROSITÉ
●

(cf. Honneur, Gloire)

v. 930 : « Ma générosité doit répondre à la tienne »
v. 270, 315, 458, 699, 844, 890, 910, 946, 1197, 1209, 1489, 1517

GLOIRE
●

v. 245 : « Ô cruel souvenir de ma gloire passée ! »
v. 97, 123, 255, 313, 332, 434, 546, 602, 701, 842, 847, 938, 954,
1054, 1138, 1421, 1506, 1523-1546, 1656, 1682, 1711, 1766, 1817

HÉROÏSME GUERRIER
●

v. 197 : « Grenade et l'Aragon tremblent quand ce fer brille »
v. 177-212, 239-244, 276-279, 534-546, 701-708, 1155-1160,
1209-1228, 1257-1328

HONNEUR
●

v. 284 : « Mais qui peut vivre infâme est indigne du jour »
v. 143, 154, 248, 252, 268, 302, 306, 396, 459, 467-472, 489, 603, 718,
747, 772, 821, 836, 888, 897, 905-910, 924, 933, 955, 957, 976, 1039,
1055, 1058, 1061-1068, 1466, 1498, 1509, 1522-1548, 1684, 1789,
1839

JUSTICE, FONCTION ROYALE PAR EXCELLENCE
●

v. 653 : « *Au sang de ses sujets un roi doit la justice* »
v. 647-654, 681-696, 730-737, 782-785, 1330, 1385-1388, 1808

MORES
●

v. 609 : « *Vers la bouche du fleuve ils ont osé paraître* »
v. 607-631, 1071-1091, 1105-1109, 1176-1184, 1257-1328, 1822-1828

RÉPUTATION
●

v. 89 : « *Et que dirait le Roi ! que dirait la Castille ?* »
v. 89-90, 237-250, 323-324, 365-368, 488, 964-979, 1169-1172

SANG
●

● symbole des valeurs familiales héréditaires

v. 401-402 : « *Cette ardeur que dans les yeux je porte,*
        Sais-tu que c'est son sang ? »
v. 26, 264-266, 1200, 1592

● symbole de la vie :

v. 274 : « *Ce n'est que dans le sang qu'on lave un tel outrage* »
v. 277, 344, 644, 659-666, 675-676, 686, 692, 712, 729, 832, 853, 858-864, 899, 1381, 1660

VENGEANCE
●

v. 417 : « *À qui venge son père il n'est rien impossible* »
v. 250, 267, 272, 286-290, 319, 346, 689-692, 720, 786-790, 832, 842, 875-882, 1357-1366, 1792-1798

Vertu

•

- valeur guerrière :

v. *28* : « *L'éclatante vertu de leurs braves aïeux* »
v. 399, 1296, 1515

- volonté appliquée au devoir :

v. *80* : « *Écoute quels assauts brave encor ma vertu* »
v. 128-132, 426, 513, 518, 979

abord : attaque
aimable : digne d'être aimé
amant : qui aime et est aimé
(≠ *amoureux* : qui aime et n'est
pas aimé) ; parfois simple prétendant
amitié : amour
amorce : appât
appâts : attraits
avouer : approuver

balancer : hésiter
bande : troupe (terme militaire,
aucune familiarité ni nuance péjorative)
bonheur : chance
brigue : manœuvre, intrigue

capitaine : chef de guerre
caresser : flatter
cavalier : chevalier, gentilhomme
celer : cacher
change : inconstance, infidélité
charme : sortilège, enchantement ;
charmant : envoûtant
chef : tête
cœur : désir, ardeur ; bravoure,
énergie morale
consulter : délibérer
conte : compte
content : satisfait, ou comblé
courage : cœur, volonté, vaillance

déçu : abusé, trompé
déplaisir : chagrin, désespoir
déplorer : pleurer sur
déplorable : digne de pleurs
discours : propos
doute (sans –) : certainement

éclat : le fait d'éclater
effet : réalisation effective ; *en effet* :
en réalité
élire : choisir
empire : état
ennui : peine très vive, malheur,
tourment

ensemble : en même temps
envier : refuser qq. ch.
éprouver : faire l'épreuve, mettre à
l'épreuve
estime : reconnaissance du mérite
d'autrui
estomac : poitrine (le mot n'a
aucune connotation réaliste au
XVIIe siècle, il appartient au langage
noble)
étonné : frappé de stupeur (comme
d'un coup de tonnerre)
étrange : extraordinaire

fabuleux : légendaire
fatal : funeste, qui peut entraîner la
mort
fers : chaînes (de l'amour)
feu, flamme : amour passionné
fier : cruel
flatter : abuser de fausses appa-
rences
foi : engagement, parole donnée
fruit : résultat
funeste : qui apporte le malheur ou
la mort, funèbre

garder : prendre garde
gêner : torturer
généreux : noble, élevé, valeureux
générosité : conscience de la valeur
gloire : estime de soi-même, réputation auprès d'autrui
glorieux : qui confère de la réputation

hasard : danger ; *hasarder* : risquer
hautement : publiquement,
bruyamment
heur : bonheur
honneur : distinction qui flatte
l'amour-propre ; estime accordée
par autrui ; exigence de considé-
ration, gloire
hymen, hyménée : mariage

189

incessamment : sans cesse
intéresser (*s'*) : prendre parti pour, être concerné
lois : empire exercé par l'être aimé

maison : famille noble, lignée
maîtresse : femme ou jeune fille aimée
manie : folie
ménager : économe
misérable : digne de pitié
mouvements : réactions, sentiments violents

nourri : élevé

objet : personne aimée ; ce qui frappe la vue

pâmer : s'évanouir ; *pamoison* : évanouissement
passer : dépasser, surpasser
perfide : qui manque à sa foi, à sa parole
prévenir : devancer

querelle : cause (au sens judiciaire)

raison (tirer – de qq.un) : obtenir de lui une réparation d'honneur

rare : extraordinaire
ravir : transporter de joie, ou d'admiration
ressentiment : sentiment en retour, réaction

sang : famille, lignée
séduire : détourner du devoir
soin : souci
souffrir : supporter, subir
submission : soumission, marque de déférence
succès : issue (bonne ou mauvaise)

tant que : jusqu'à ce que
temps (prendre son –) : choisir une occasion favorable
transports : manifestations violentes d'un sentiment
travaux : occupations pénibles
triste : qui cause ou exprime l'affliction, fatal
trouble : désarroi

vain : vaniteux, orgueilleux
valeur : vaillance, bravoure
vertu : courage ; application au devoir
vouloir bien : vouloir fermement (et non pas consentir)
le vouloir : la volonté

Bibliographie
•

Jean Schlumberger, *Plaisir à Corneille*, Gallimard, 1936.
Louis Herland, *Corneille par lui-même*, Seuil, 1954.
Georges Couton, *Corneille*, Hatier 1959, réédition en 1969.
Robert Garapon, *Le premier Corneille*, SEDES, 1982.
Alain Couprie, *Pierre Corneille. Le Cid*. Coll. « Études littéraires », PUF, 1989.

Filmographie
•

Le Cid, d'Antony Mann, 1961, avec Charlton Heston et Sophia Loren.

191

Crédits photographiques : Couverture : Beatus de Liebana. Commentaire sur l'Apocalypse. Abbaye de Saint-Sever, milieu XIᵉ siècle. f° 155 Meurtre d'Elie et d'Enoch par l'Antéchrist. Paris, photo B.N. **p. 4** Roger-Viollet. **p. 8** Hachette. **p. 9** Hachette. **p. 18** Costume de Rachel dans le rôle de Chimène, Comédie Française, Roger-Viollet. **p. 25** Hachette. **p. 28** Agnès Varda c/o Enguerand. **p. 36** Le Cid fin XIXᵉ siècle, Théâtre de l'Odéon, J. L. Charmet. **p. 39** Agnès Varda c/o Enguerand. **p. 47** Françoise Spira au Festival de Suresnes, TNP, 1951, Lipnitzki-Viollet. **p. 52** Agnès Varda c/o Enguerand. **p. 60** Caroline-Eugénie Weber, tragédienne française, dans le rôle de Chimène, Paris, Bibliothèque de l'Arsenal, photo Hachette. **p. 63** Francis Huster au Théâtre du Rond-Point, B. Enguerand. **p. 69** Lipnitzki-Viollet. **p. 79** *Le Cid* vers 1840, Bibl. de la Comédié Française, J. L. Charmet. **p. 86** Illustration du *Cid*, Acte III, scène 4, Gravure de Moreau le Jeune, Bibl. de l'Institut, Roger-Viollet. **p. 89** PROD. **p. 93** Martine Chevallier, Monique Melinand, B. Enguerand. **p. 94** Samuel Labarthe dans une mise en scène de Gérard Desarthe à Bobigny, 1988, M. Enguerand. **p. 99** Enguerand. **p. 113** Le Cid aux pieds de Chimène, lithographie de A. Deveria (1824). B.N. Harlingue-Viollet. **p. 116** Agnès Varda c/o Enguerand. **p. 122** Collection A. Marinie. **p. 126** Marianne Basler dans une mise en scène de Gérard Desarthe, Bobigny, 1988, M. Enguerand. **p. 131** PROD. **p. 138** Hachette. **p. 143** Hachette. **p. 145** Roger-Viollet. **p. 146** Séville, Gravure publiée à Paris chez H. Jaillot, 1669. **p. 149** Hachette. B.N. Paris. **p. 156** Librairie Didier. **p. 159** Page de titre de *Las Mocedades del Cid. Comedia primera* par Guilhem de Castro, 1618. B.N. Paris, Hachette. **p. 160** Jean Mairet, Roger-Viollet. **p. 161** Georges de Scudéry, Gravure de R. Nanteuil. Hachette. **p. 163** Collection Viollet. **p. 164** Gravure du XIXᵉ siècle, Hachette. **p. 168** PROD. **p. 171** Alphonse VI, Cathédrale de Saint-Jacques de Compostelle, Mas Loygorri. **pp. 172, 173** Duel à l'épée, gravure de Jacques Callot, B.N. Paris, Hachette. **p. 174** B.N. Paris, Hachette. **p. 176** Paris, B.N. Hachette. **p. 178** Lipnitzki-Viollet. **p. 181** Scène de chevalerie, gravure de Hildibrand d'après Alphonse de Neuville.

CPI

Imprimé en France, par CPI Hérissey à Évreux (Eure) - N° 113958
Dépôt légal : 05/2010 – Collection N° 65 - Édition N° 05
16/9175/7